JN316875

企業永続のための リーダー社員の人間力

(心とビジネス・スキルを鍛える心得帖)

モラロジー道徳教育財団 編

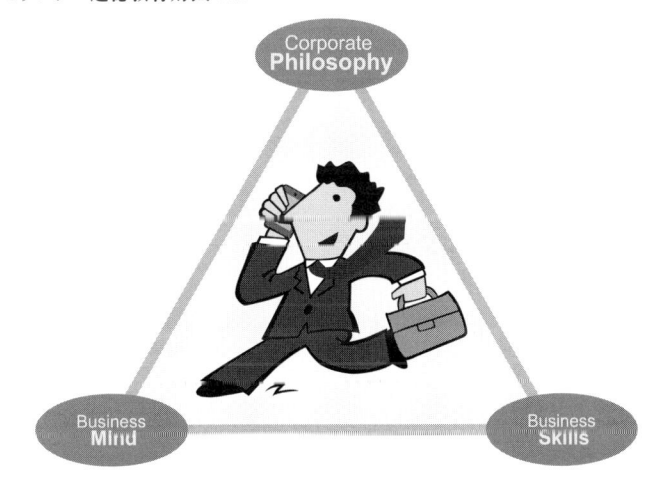

Corporate Philosophy

Business Mind

Business Skills

公益財団法人
モラロジー道徳教育財団

contents

はじめに ……………………………………………………………… 7

ビジネス・マインド編

第1章　リーダー社員の心得　11

   1　志を貫くということ ……………………………………… 12
   2　リーダーのモラルコンパス ……………………………… 14
   3　尊敬されるリーダー像 …………………………………… 16
   4　リーダーの本分を果たす ………………………………… 18
   5　リーダーの自分づくり …………………………………… 20
   6　リーダーの率先垂範と創造力 …………………………… 22
   7　リーダーはグッドコミュニケーター …………………… 24
   8　リーダーは私心を捨て、犠牲を払う …………………… 26
   9　心の器を大きくするもの ………………………………… 27
  10　上司へは安心を、部下へは思いやりを ………………… 28

第2章　リーダーのための人材育成　31

   1　企業の優勝劣敗は、人材次第 …………………………… 32
   2　企業は駅伝リレー、バトンタッチが大切 ……………… 34
   3　企業の人づくりは品性教育 ……………………………… 36
   4　社員の道徳心を育てる …………………………………… 38
   5　社員を育てる親心 ………………………………………… 40
   6　部下を尊重して任せて伸ばす …………………………… 42
   7　教えて学ぶ ………………………………………………… 44
   8　親孝行のできる社員に …………………………………… 45

ビジネス・スキル編

第3章　経営目標達成の戦略づくり　47

   1　経営理念をつくる ………………………………………… 48
    (1) 経営理念とは何か ……………………………………… 48
    (2) なぜ経営理念は必要なのか …………………………… 49
    (3) 企業の経営理念の具体例 ……………………………… 49
    (4) 経営理念の共通点 ……………………………………… 51
    (5) 経営理念のつくり方 …………………………………… 52
      ❶ ファシリテーターの決定とキーワードの洗い出し
      ❷ キーワードのグループ分け　❸ キーワードの絞り込み
      ❹ シンプルな言葉で短く表現する　❺ コミュニケーションテスト

2 経営ビジョンをつくる ・・・・・・・・・・・・・・・・・・・・・・ 55
 (1) 経営ビジョンとは何か ・・・・・・・・・・・・・・・・・・・・・・ 55
 (2) 優れたビジョンステートメント ・・・・・・・・・・・・・・・・・・ 55
 (3) 優れた経営ビジョンの共通点 ・・・・・・・・・・・・・・・・・・・ 57
 (4) 経営ビジョンの策定 ・・・・・・・・・・・・・・・・・・・・・・・ 57
  ❶ バックワードイメージング　❷ 文章化　❸ エレベーター・スピーチ

3 経営環境を分析し大枠の戦略を策定する ・・・・・・・・・・・・・ 60
 (1) 環境の分析と戦略づくり ・・・・・・・・・・・・・・・・・・・・ 60
 (2) SWOT ツールの活用 ・・・・・・・・・・・・・・・・・・・・・・ 60
  ❶ 市場環境のチャンスと脅威を把握する
  ❷ 自社の強みと弱みを把握する　❸ 戦略の大枠をつくる

4 戦う領域を決める ・・・・・・・・・・・・・・・・・・・・・・・・ 65
 (1) 「顧客＝市場」のフォーカス ・・・・・・・・・・・・・・・・・・ 65
 (2) 顧客＝市場を分析する ・・・・・・・・・・・・・・・・・・・・・ 65
  ❶ 顧客＝市場をリストアップする　❷ 顧客＝市場を評価する
  ❸ ターゲットとする顧客のニーズを特定する
  ❹ ニーズを満たすための成功条件を特定する
 (3) 総合的に評価し優先順位をつける ・・・・・・・・・・・・・・・・ 67
  ❶ 難易度を評価する　❷ 戦う領域を決める

5 競合と戦う戦略を決める ・・・・・・・・・・・・・・・・・・・・ 69
 (1) 競争戦略づくりの考え方と手法 ・・・・・・・・・・・・・・・・・ 69
 (2) コトラーの競争戦略 ・・・・・・・・・・・・・・・・・・・・・・ 69
  ❶ リーダー　❷ チャレンジャー　❸ ニッチャー　❹ フォロアー
 (3) 競争戦略を策定する ・・・・・・・・・・・・・・・・・・・・・・ 71
  ❶ 競合を特定する　❷ 競合を評価する
  ❸ 取るべき戦略タイプを決める　❹ 戦略ステートメントに落とし込む

6 部門の役割を決める ・・・・・・・・・・・・・・・・・・・・・・ 75
 (1) 実例に学ぶ ・・・・・・・・・・・・・・・・・・・・・・・・・・ 75
 (2) 業務流れ図で現状を表現する ・・・・・・・・・・・・・・・・・・ 76
 (3) 業務組織流れ図で今後を表現する ・・・・・・・・・・・・・・・・ 78
  ❶ 業務の流れをつくる　❷ 部門（組織）を当てはめる
  ❸ リソースを配分する
 (4) 部門の役割（＝責任）を明らかにする ・・・・・・・・・・・・・・ 80
  ❶ 役割を決める　❷ 漏れと重複をなくす

7 論理の一貫性を確認する ・・・・・・・・・・・・・・・・・・・・ 82
 (1) 理屈の共有 ・・・・・・・・・・・・・・・・・・・・・・・・・・ 82
 (2) ステークホルダーへの発信 ・・・・・・・・・・・・・・・・・・・ 82

第4章　目標達成と部下育成のためのリーダーシップ　83

1　目標を達成する　84
(1) 目標達成のステップを知る　84
(2) 経営サイクルと目標管理の関係を知る　84
(3) 目標設定のポイントを知る　86
(4) 目標を達成するための打ち手を知る　87
　❶ GAPを認識する　❷ GAPを表現する
　❸ 問題の優先順位づけをする
(5) 問題解決のサイクル　95
(6) GE式ワークアウト会議による問題解決の進め方　96
　❶ ワークアウトの特徴　❷ ワークアウトのルール
　❸ ワークアウトの役割分担　❹ チャンピオンの役割
(7) ワークアウトがもたらすメリット　109
　❶ チャンピオン役のメリット　❷ 部門にもたらすメリット
　❸ あなた自身のメリット
(8) 経営者、部門長に求められるリーダーシップ　111

2　部下を育成する　112
(1) 目標達成と部下育成の関係を整理する　112
(2) コーチングとティーチングの違い　113
　❶ コーチングとは　❷ コミュニケーションスキル

3　評価を行う　122
(1) 評価の目的を整理する　122
(2) 評価への不満の原因を知る　122
(3) 評価プロセスと不満の原因　123
　❶ 情報の収集・整理プロセスに原因がある場合
　❷ 会社の評価ルールに当てはめるプロセスに原因がある場合
　❸ 点数をつけるプロセスに原因がある場合
(4) 公平な評価の限度を知る　125
(5) 公平で公正な評価を実現する　125
　❶ 公平で公正な評価に近づける　❷ 評価者＝上司の心構え
　❸ 陥りがちな評価ミスをなくす
(6) 評価の機軸を知る──業績面と行動面　128
(7) 評価後の人事戦略　128
　❶ 行動の模範性が高い人材が、高業績を上げた場合
　❷ 行動の模範性が高い人材であるが、業績が思わしくなかった場合
　❸ 行動の模範性が低い人材が、高業績を上げた場合
　❹ 行動の模範性が低い人材の業績が思わしくなかった場合

(8) 人事評価制度構築の6箇条 ････････････････････････････････ 130
　　❶ 経営戦略とのリンクが普遍的に取れること
　　❷ シンプルでわかりやすい制度にすること
　　❸ 職種別の基準（モノ差し）をつくること
　　❹ 期待能力基準とリンクさせること
　　❺ 人材開発（研修）制度と連動させること
　　❻ 評価者研修を実施すること

　ビジネス・マインド編

第5章　リーダー社員のための仕事と人生の奥義 ･････････ 133

　　1　不変と可変 ････････････････････････････････････ 134
　　2　変革のための3つの目 ･･････････････････････････ 137
　　3　モラルとモラールとモチベーション ･････････････ 139
　　4　熱心の弊 ･･････････････････････････････････････ 140
　　5　不正に対する心構えと行動 ･･････････････････････ 142
　　6　先人先輩の恩に感謝し、義務を進んで遂行する ･･･ 144
　　7　仕事も人生も楽しむ心をもつ ････････････････････ 146
　　8　ビジネスの一時的成功と永続的な幸福は違う ･･････ 148

巻末資料 ･･ 151

　　　　　　　　　　　　　　　　　　　　　　装丁　レフ・デザイン工房
　　　　　　　　　　　　　　　　　　　　　　イラスト　半井　映子

◻ 本書制作にあたって

◇ 引用文の一部は、意訳して示しました。
◇ 「ビジネス・マインド編」については、生涯学習本部企業センターが担当しました。
「ビジネス・スキル編」については、
人材開発インストラクター・千葉由希彦氏にご協力をいただきました。

千葉由希彦氏 略歴

昭和30年（1955）、北海道生まれ。シックスシグマ手法におけるマスターブラックベルトの資格を持つ人材開発インストラクター。横浜市立大学卒業後、日系生命保険会社の部門長を経て米国GE社ならびに㈱バンダイナムコHDにて人材開発に携わる。受講者の実績は通算600社、10,000人。気象予報士。モラロジー道徳教育財団賛助員。

はじめに

誰もがリーダーとなりうる

　社会の中で仕事をし、生活を営んでいれば、誰もがリーダーとなる可能性があります。職場生活においては、社長にならないまでも、課長や部長、店長や工場長、あるいは少人数のプロジェクトチームなどのリーダーになることはあるでしょう。さらに地域社会において、町内会、ボランティアグループ、サークル活動などの長となることもあります。そこで、リーダーシップが正しく発揮されてこそ、各集団は機能し、社会を支えていくことができるのです。

　ここでいうリーダーシップは、組織や集団の最上階にいる指導者だけに必要なものではありません。たとえば4、5人のグループで何かを企画して実行する場合でも、グループ内の誰かがリーダーシップを発揮しなければ前に進まないでしょう。組織の大小や肩書きの有無を問わず、社会的な役割を果たすためには、誰もがリーダーシップを身につけておく必要があるのです。その自覚を持って物事に取り組む人こそ、「あの人はリーダー的存在だ」と言われるのです。

「集団の中心性」すなわち「リーダーの道徳性」

　人間は社会的動物ともいわれ、社会の最小単位である家庭から最大単位である国家まで、さまざまな集団を形成します。もしその集団を束ねるリーダーが不在であったり、その立場にある人にリーダーシップが欠如していたりするならば、混乱や不安を招くことは必至です。中心性の欠如は、秩序の崩壊を招くのです。

　この中心性とは道徳性そのものであり、国の興亡も企業の浮き沈みも、リーダーの道徳性に大きく依存しているといえるでしょう。なぜならば、個人の心と同様に、集団にも心が宿るからです。

　モラロジー（道徳科学）の創建者・廣池千九郎（1866〜1938）は、「人間の道徳的精神及び道徳的行為は、ことごとくその真相が他人の心に映じて親疎の区別を生じ、これがために各人の結合もしくは分裂、幸福もしくは不幸の差異を生ずる」（新版『道徳科学の論文』① 107ページ）と述べ、さらに「協働・相互扶助・連帯・連合及び統一などというものは、団体心の表現であって、これがすべて社会構成上及び社会統制上にはみな道徳となるのであります」（同③ 196ページ）と指摘し、人間の幸・不幸の原因も、組織・団体の統一・統制の要件も、すべて道徳にあると喝破しています。

　どんな組織や集団であっても、道徳心を持つリーダーがその中心に安定的に存在していることは、人類社会の安心・平和・幸福にとってきわめて大切なこ

とです。企業にとって先が見通せない時代だからこそ、ビジネスに関わるすべての人が道徳心を基軸とするリーダーシップ（モラル・リーダーシップ）を学ぶことに意義があるのです。

なぜリーダー社員の成長が不可欠なのか

　一般に企業組織は、経営トップを頂点にして、ピラミッド型やフラット型などの大小さまざまな組織集団によって構成されます。この中で、最初から最後までトップリーダーである人は創業者以外におらず、それ以外の人々は、上位者（リーダー社員）たる誰かの部下であるという期間を長く過ごしつつ、誰かの上位者ともなっていきます。

　そうした中で、経営トップのリーダーシップが最重要であることは当然です。たとえば、企業が永続と発展をしていくための生命力を高めたり、社員が生き生きと仕事ができる環境をつくったりしていくうえで、経営トップの役割はきわめて大きいといえるでしょう。しかし同時に、社内各レベルのリーダー社員が成長し、そのもとで働く社員の人間力と仕事力を引き出していく必要があるということも、論をまたないでしょう。

　経営戦略の実行や実務的な問題解決にあたっては、確固たる経営理念のもとに、リーダー社員を含めた全社員が、持てる能力をフルに発揮して、「現場力」を強くしていくことが求められます。そのためには、各部門やチームのリーダー社員が責任を持って、その務めを果たしていくことが重要なのです。

リーダー社員に求められるもの

　一般に求められるビジネス上の能力といえば、「コンセプチュアル・スキル（全体を司る戦略思考）」「ヒューマン・スキル（人間関係力）」「テクニカル・スキル（知識や技術・技能）」の3つが挙げられます。リーダー社員においてもこれらは必須の能力ですが、高いパフォーマンスを発揮してきたリーダーに目を向けるとき、これら3つでは表現しきれない資質があることに気づかされます。

　それは、まさに高潔な志に裏打ちされた「高い倫理観・モラル」です。プロの領域にまで高められた先の3つの能力に加えて、洗練されたマネジメント・ノウハウとモラルとをあわせ持つ、多能工的リーダーの尽力の結果として、今日の社会が築かれているのです。

　これからの企業が活力を持ち、秩序ある国家の発展を支えていくためにも、力あるリーダー社員を一人でも多く育成していかなければなりません。また、トップマネジメント層を補佐する参謀役としてのリーダー社員の育成も、必要

不可欠であるといえるでしょう。

　中でも、広い視野と高い視座から企業活動を推進していくミドルマネジメントの果たす役割は、大きなものがあります。人間的魅力を兼ね備えたリーダーシップと、深くて広い知識・スキルを持つマネジャーの育成が急務であり、特に実務能力の高いリーダーの育成は、企業・団体の永遠の課題です。このことに手をこまねいていては、企業の存続も発展もおぼつかないといえるでしょう。

リーダー社員の人間力と仕事力の向上が経営力を高める

　本書は、社会人として経験を積んできたリーダー社員、特に企業・団体組織のラインで活躍する幹部や中間管理職クラス、いわゆるマネジャーやシニアマネジャー、あるいはそれを補佐する立場のビジネスパーソンを主な対象としたテキストです。主任・係長から課長・部長クラス、店長・工場長、さらには将来のリーダーとして問題解決能力の習得を目指す人にも活用できる内容を盛り込んでいます。

　ビジネスを成功させ、企業活動に関わるすべての人々の幸福を実現していくためには、企業経営者のみならず、管理職層が「ビジネス・マインドセット（リーダーの心構えや仕事に取り組む姿勢、考え方の基盤など）」と、「ビジネス・スキル（事業部門の目標達成や問題解決のための基本的な考え方やフレームワーク）」の両面において、卓越した能力を発揮していくことが必須の条件です。この両面をバランスよく身につけ、ビジネスの成果物を得ることこそ、世界中のビジネスパーソンに求められているといえるでしょう。グローバルな経済活動を現場で支えるリーダー社員の人間力と仕事力の向上なくして、企業の経営力の強化は望めません。

　本書の内容は、道徳的価値観を身につける「ビジネス・マインド編」と、世界のエクセレントカンパニーと呼ばれる企業で活躍する人々に共通するマネジメント・ノウハウを伝授する「ビジネス・スキル編」とに大別されます。さらには、生涯の70パーセントといわれる長いビジネスキャリアを通じて人生を考えるという視点を提供しています。

　変革の旗振り役たる企業・団体のリーダー社員が持つべきリーダーシップの本質に迫りながら、仕事上の課題を効率的に解決するスキルも同時に磨き、地道に研鑽を重ねていくことこそ、本物のビジネスリーダーへの王道であると確信します。"全員経営の時代"といわれる今日、経営理念の具現化に向けて、リーダーシップと人間力・仕事力とを磨く教育研修の機会に本書をご活用いただければ幸いです。

第1章
リーダー社員の心得

部下や周囲の人たちをリードしていくためには、自己の仕事を的確に果たす基本姿勢を身につけたうえで、「いかにしたら社会や人々の役に立てるか」という思いのもと、志を立て、前向さに行動していく姿勢が必要です。その規範となるのが高潔なモラルです。強い責任感や優れた創造力を養うとともに、思いやりと感謝の心を持って、自己の「器」を大きく育てていきたいものです。

> **第1章のポイント**
>
> 1. リーダーは志を貫き、仕事の基本を忠実にこなそう
> 2. リーダーは職位や職責にふさわしいモラルコンパスを持とう
> 3. 尊敬される企業には尊敬されるリーダーが必要
> 4. リーダーは本分を果たし、身口意を一致させて責任を尽くそう
> 5. リーダーは人づくりの前に自分づくりを意識しよう
> 6. 現場での率先垂範と創造力がリーダーの条件
> 7. 部下にやる気と活力を与えられるグッドコミュニケーターになろう
> 8. リーダーは私心を捨て、犠牲を払う覚悟で事に当たれ
> 9. 感謝する心と謙虚さがリーダーの心の器を大きくする
> 10. 上司に対して安心を与え、部下を思いやる心を持とう

1 志を貫くということ

志が人と組織を動かす

　日本をはじめ、世界の経済産業発展の歴史を振り返ったとき、繁栄する企業とは「志の高い経営者や社員による集団」であることに気がつきます。そして言うまでもなく、企業は「ゴーイング・コンサーン」(going concern)、すなわち長期的に継続する社会的存在であることが求められます。では、企業の持続可能性（sustainability）を根底で支えているものはなんでしょうか。

　これまで多くの起業家やビジネスリーダーは、「この仕事を絶対に軌道に乗せて事業の大きな柱に育てよう」「広く社会から支持される優良品を創り出そう」「業界の常識を覆すほどの技術革新を必ずやり遂げよう」といった志を持ち、その熱い思いが人と組織を動かし、企業の存続と繁栄を実現してきました。

　「志」というときわめて抽象的ですが、「自分の仕事に対する明確な目標意識や達成への決心」と言い換えればわかりやすいでしょう。やればできる、何がなんでもやり抜こうという思いがなければ何も始まりません。「意志あるところに道あり」(Where there is a will, there is a way) と言われるように、道をつくった人は「道をつくろう」という意志を持った人です。「富士山に登ろう」という意志を持った人だけが山頂に立てるのです。

志を立てれば、成就しないものはない

　モラロジーの創建者・廣池千九郎は、「人間としてまず大切なことは、志を立てることである。志を立ててから、物事を始めるべきである。志を立てなければ、なにごとも成就しない。（中略）志は立てようと思えば、だれでも立てることができる。志が立てば、成就しないものはない。（中略）志が立てば、その意志は鋼や石よりも固く強くなる。このようになれば、真の志である」と述べています（『伝記 廣池千九郎』64ページ）。

　人は志を抱いて一歩を踏み出しても、途中で志を放棄し、努力をやめてしまうことがあります。それでは中途半端に終わり、後悔だけが残ることになります。最初は小さな思いや願いから出発しても、経験を重ねるうちに大志となっていくことが少なくないのですから、目標に向かって不断の努力で立ち向かうという堅固な意志を持つことが大切です。

企業の使命とリーダーの志

　「志」という文字は「十人を支える一人の心」を表しています。自分が統率すべき集団でリーダーシップを発揮するためには、まず十人を支え得るだけの「志」を示さなければなりません。企業は「一人ではできないことを他人と協働して目的を実現する」という使命を持っています。リーダーはその使命を果たすための「志」を「明確なビジョンと行動基準」として部下に示し、部下は喜んでリーダーについていくという形が理想的です。

　しかし、リーダーが高い志に固執して、目の前にある解決すべき問題を先送りにしたり、日常の業務をおろそかにしたりしているようでは、せっかくの志も絵に描いた餅にすぎません。まずは仕事に取り組む基本姿勢がしっかりしていることが前提です。当たり前のことを当たり前にこなすという基本ができたうえで、立てた志を貫き、前向きに行動するのが、リーダーたる者の第一の資質です。

column

リーダー（LEADER）に求められる6つの条件

① **L**isten　　　（聴く能力）
② **E**xplain　　（説明する能力）
③ **A**ssist　　　（手助けする能力）
④ **D**iscuss　　（話し合う能力）
⑤ **E**valuate　　（評価する能力）
⑥ **R**esponsibility（責任をとる能力）

2　リーダーのモラルコンパス

ビジネスを成功に導く力

　ビジネスの成功者といえば、学力、知力、金力、権力、体力などが備わったリーダー像が思い浮かびます。もちろん、それらは必要ではありますが、第一の価値ではありません。それらの諸力を正しく生かす能力、すなわちモラル（道徳）が備わっていること、これがリーダーとしての大事な資質です。モラルがない人に信頼や信用を寄せることは、なかなかできません。

　モラルは、善良な心づかい（心のあり方・考え方）と行いを日々積み重ねていくことによって形づくられます。修練を積み、研鑽に努め、道徳的な心づかいと行いを累積して形成される能力が「品性」です。すなわち、品性とは人間の諸力の中心にあって、それらを正しく生かす根源的な力のことです。

リーダーが濁ればフォロワーも濁る

　米国の経営学者、ピーター・ドラッカー（1909～2005）は、その著書『現代の経営』（上、野田一夫監修　現代経営研究会訳、ダイヤモンド社）の中で、品性について次のように述べています。

　「各経営担当者は高潔な品性を持ってこそ、指導力を発揮し、多くの人の模範となりうるのである。品性は心の〈よさ〉であって、容易に獲得することはできない。そして職務につくときにすでに心の〈よさ〉を持っていなかったら、仕事はけっしてやり遂げられはしない。また品性はごまかしのきかないものであるから、いっしょに働く同僚、とくに部下は、その人が高潔な品性の持主かどうかをすぐ知ってしまう。彼らは、その人の能力や知識の不足、頼りなさ、不作法といったことを大目にみることはあっても、高潔な品性の不足だけはけっして容赦しない」

　川は上流が濁れば下流も濁ります。これを「リーダーが濁ればフォロワーも濁る」と言い換えることができます。フォロワーとは、リーダーに対して従う者、模倣する者という意味ですが、真似という意味もあります。上の者が濁っていれば、下の者はそれを真似て濁ってしまうでしょう。ですから、若者は「大人の言うとおりにはならないが、するとおりになる」と言われるのです。上に立つ者は常に品性を向上させ、清く正しく行動し、公私の区別をはっきり持ち、そのうえで指導力を発揮することが大切です。

私たちは会社や社会での地位が高まるにつれ、それにふさわしいだけの道徳を行う責務が課されます。それを十分に果たさなければ、顧客や取引先をはじめ、周りの人々の信頼を得ることも事業を成し遂げることもできません。会社や社会での責任が増大するにつれ、品性を向上させてこそ、ビジネスの成功と充実した人生が保証されるのです。

　そのために、リーダーは自分自身の行動の規範として、明確なモラルコンパス（道徳的羅針盤）を持たなければならないのです。

column

求められる「サーバント・リーダーシップ」

　リーダーは奉仕者たれ──。これは、米国のAT&Tマネジメント研究センター長を務めたロバート・K・グリーンリーフ（1904～1990）が提唱した「サーバント・リーダーシップ」という考え方です。そもそもリーダーシップとは、誰のために、なんのために必要なのでしょうか。金井壽宏氏（神戸大学名誉教授）は、リーダーシップとは「信じてついていってもいいと思える人に、フォロワー（部下）たちが喜んでついていっている状態」であり、「フォロワーが目的に向かって自発的に動き出すのに影響を与えるプロセスである」とも言っています。そういう意味では、「喜んでついていくフォロワー」がいないことにはリーダーシップは存在しないことになり、フォロワーのためにリーダーが存在することになります。リーダーが「お前、ついてきていいよ」とフォロワーを認めるのではなく、フォロワーが「あなたなら、ついていきたい」とリーダーのことを認めることが基本になるのです。

　NPO「グリーンリーフ・センター・ジャパン」の定義によれば、サーバント・リーダーシップとは、リーダーである人はまず相手に奉仕し、その後に相手を導くものであるという実践哲学であり、「フォロワーはリーダーを信頼し、彼（彼女）が描く大きな絵（ビジョン）に共鳴してリーダーについていく。そのときフォロワーが目指すものはリーダーのそれと同じ、もしくは近いものであり、いっしょになって実現するのもフォロワーである。リーダーはあくまでその手伝いと後押しをする」という考え方が根本にあります。これは、従来のリーダーシップとは対照的です。従来のリーダーは、まず相手の上に立って相手を動かそうとし、リーダーとしての地位・権力・お金を得た後に、それらの余った部分で他者に奉仕しようとします。一方、サーバント・リーダーは、他者に対する思いやりの気持ち、奉仕の行動が先に立つのです。（参考：池田守男・金井壽宏著『サーバント・リーダーシップ入門』かんき出版）

3 尊敬されるリーダー像

周囲の幸せを願う人に

　どんな会社も「信頼され、尊敬される企業」として評価されたいと願っています。そのために品質のよい商品や製品、サービスを適正価格で提供するとともに、消費者に期待以上の満足や納得を与えられる付加価値をつくり出す努力をしています。その結果得られた顧客層による信用が、その会社の実力として蓄積されていきます。

　こうして積まれた企業の実力とは、言うまでもなく社員一人ひとりの実力の総和です。だからこそ、社員のやる気と能力を引き出し、目標に向かって先導するリーダーの役割は大きなものがあります。社内外から信頼を得て尊敬されるリーダーが、企業の将来に大きな影響を与えるのです。

　では、理想的な職場のリーダー像とはどういうものでしょうか。私たちは誰でも、温かな、心の広い人に好感を持ちます。自分もまた他者から好感を持たれる人間になりたいと思っています。ところが実際には、自分自身が一生懸命に努力しても、人によって受けとり方はさまざまであり、誰からも同じように好感を持たれるとは限りません。しかし、人からどのように思われても、自分自身は常に低い、優しい、温かい思いやりの心を失うことなく、相手の幸福を願うことが大切です。そうした心づかいができる人の周囲には、春の陽のように温かく、やわらかい雰囲気が漂うようになります。これが目上の人から愛され、同僚や後輩からも尊敬される理想的なリーダー像の第一条件です。

謙虚な心を持つ

　上下関係の中で絆を強めるためには、まずリーダーが部下の心を理解しなければなりません。理解するという言葉は英語で「understand」と言いますが、ここには「下に立つ」という意味があります。自分の意が相手になかなか伝わらないとき、相手の理解力不足のせいにするのではなく、相手を理解しようとする自分の心を内省してみることです。そうした謙虚な心を持つリーダーであればこそ、部下との絆も強まります。部下は上司に対して常に期待感を抱いている存在であり、「自分もあんな上司になりたい」「価値観が同じこのリーダーの下で働き続けたい」「この人の指示なら喜んで従いたい」と心から思われることが尊敬されるリーダーの証です。

組織を独楽にたとえれば、周囲から尊敬され慕われる「求心力」と、周囲へ感化を与える「遠心力」の軸に立ち、知識や頭脳ではなく心で統率する。これが真のリーダーシップです。

column

「李もの言わざれど下自ら蹊を成す」

　中国、前漢の歴史家・司馬遷（紀元前145？〜前86？）は、『史記』（李将軍列伝第四十九）の中で、以下のことを記しています。

　太史公（司馬遷）曰く――。
　伝に、「その身が正しければ、命令しなくとも行なわれ、その身が正しくなければ、命令しても人は従わない」（『論語』子路篇）とあるが、これは、李将軍などを言ったのであろう。わたしは李将軍と会ったことがあるが、誠実・謹厚で田舎者のようであり、ろくに口もきけない様子であった。彼が死んだ日には、天下の彼を知っている者も知らない者も、みな彼のために哀しみを尽くした。彼の忠実な心がまことに士大夫に信ぜられていたのである。諺に言う。「桃や李はもの言わぬが、その木の下には自然と蹊ができる」。この言葉は小さなことを言っているのであるが、そのまま大きなことにも喩えることができるのである。（司馬遷著、野口定男訳『史記』下、平凡社）

　李将軍とは、李陵（？〜紀元前74）のことで、司馬遷と同じく前漢の軍人です。匈奴を相手に勇戦しながら敵に寝返ったと誤解された悲運の将軍として知られています。「桃や李はもの言わぬが、その木の下には自然と蹊ができる」とは、徳のある人物には自然と人が集まってくるという意味になります。
　徳のあるリーダーは、周囲の人々に感化を及ぼし、その結果として、自然に思いやりのある人々に囲まれていくものです。仕事をするだけでなく、喜びと感謝に満ちた人生を築いていきたいものです。

4　リーダーの本分を果たす

相手によい影響を与える心づかいを

　リーダーの本分とは、実心＝心から思っていることを、実言＝正しい言葉で表現し、実行＝自分が言ったことは責任を持って行うということに尽きます。
　「身口意（しんくい）」という言葉があります。身は「行動」、口は「言葉」、意は「心づかい」を意味します。たいていの人は行動と言葉の一致はできても、心づかいまでは一致していないことが多いのではないでしょうか。「心では泣いているのに顔で笑う」「心では怒っているのに行為ではへつらう」というのではつまりません。約束や依頼を正確に守るなど、言行を一致させることは大切なモラルですが、それが形式的であったり、動機が不純であったりして、よい心づかいが伴っていない場合は、道徳的な価値が小さいのです。より高いモラルが要求される場で重視されるのは、心づかいです。心づかいは目には見えませんが、相手の心に伝わり、大きな影響を与えます。
　『武士道』の著者として知られる新渡戸稲造（にとべいなぞう）（1862～1933）は、欧州の上流社会にある「ノブレス・オブリージュ」(noblesse oblige) を「高き身分に伴う道徳的義務」と紹介しました。これは指導者に求められる高潔な品性を意味します。社会の上座にいるだけで、その人にはノブレス・オブリージュが期待されるのです。

本分を果たすとは

　リーダーの本分を果たすということは、義務を果たすことにほかなりません。この義務とは「道徳」と「責任」の二つをあわせ持っています。リーダーであれば、先頭に立って死にものぐるいで働かなくてはならないときがあるでしょう。「様子を見ていよう」「まだ平気だろう」「仕方がない」などと責任回避をしていては、企業活動は成り立ちません。どのような仕事にもみずから積極的に参画し、周囲の意見や上司の意向も大切にしながら、建設的に取り組むことが大切です。仮に失敗しても、努力した経験は必ず後で生きてきます。
　熱心さが度を過ぎてしまい、周囲にトラブルを引き起こすようではいけませんが、リーダーたる者、全身全霊で事に当たり、「身口意」が一体となった状態で持てる力のすべてを発揮させてこそ、困難なことも成就できるでしょう。その努力にこそ、将来の成功と幸福の種があるのです。自分の仕事の質と結果

には自分が責任を持つという胆識（たんしき）を持ち、鍛錬（たんれん）を重ねることが、リーダーとしての本分を果たすことにつながります。

column

「言うは易く行うも易く心づかいはきわめて難し」

　他人から依頼された仕事を行う場合など、言行が一致し、形の上ではよいことを行っているように見えても、「相手に嫌われたくない」とか、「恩を着せたい」というような利己的な心づかいに基づいて行うのでは、その役目を十分に果たしたことにはなりません。また、相手から信頼されず、温かい人間関係を築くこともできません。まず利己心を取り払い、慈悲の心を持って相手の安心と幸せを願うことが大切です。それによって初めて、言行が適切で美しいものとなり、すべての人に快感や満足感を与えることができるのです。

米沢藩主・上杉鷹山に見るリーダーシップ

　江戸時代後期の名君とうたわれる人物に、米沢（山形県）藩主・上杉鷹山（ようざん）（1751〜1822）がいます。日向（宮崎県）高鍋藩主の次男として生まれ、10歳で上杉家の養子となり、17歳で家督を相続、破綻（はたん）寸前にあった藩の財政を立て直すため、さまざまな改革に腕を振るいました。

　上杉家が米沢の地を治めるようになったのは江戸時代初期のこと。当初は農地が少なく食べる物も乏しかったため、武士も農業に携わり、農民となっていった者もいました。しかし、代を重ねるうちに、家臣の間に「武士が農事にかかわるのは恥である」という風潮が広がっていきました。そうした中で、鷹山は9代目藩主となったのです。

　当時の米沢地方の農民たちは凶作などで困窮し、働く意欲を失いかけていました。家臣たちの農事への意識も低いままです。それでも鷹山は、「農は国の本なり」という信念のもと、荒地を開いて美田をつくり、農業を盛んにして国力を高めようと決心しました。そして、みずから鍬をとって田を耕すという「籍田（せきでん）の礼」を実施。「籍田」とは古代中国で行われた儀礼で、天子（君主）が国内の農事を励ますため、みずから田を耕し、収穫物を祖先に供えたことから始まったものです。この鷹山の姿を見て、驚いた家臣たちはそれまでの意識を改め、進んで新しい田を開こうと精を出すようになりました。こうして米沢藩で収穫される米の量は年々増加、のちに起こった天明の大飢饉の際も、領内から一人の餓死者も出さなかったばかりでなく、他国の人々に米を分け与えることができたと言います。

　鷹山が藩政の要諦としたのは、「民の父母となれ」ということでした。その心をもって真摯（しんし）に範を示していったからこそ、人々の心に安心と協力する心が育まれ、藩政改革も進んでいったのです。

5　リーダーの自分づくり

まず自分の身を修めよ

　儒教の思想に「修己治人」があります。修養に励んでみずからを高め、その徳で人を感化し、世を正しく治めることを説いたものです。人の上に立とうとするならまず自分を磨け、ということでしょう。会社でいくら偉くなっても、自分を研鑽していない人の言うことは誰も本気で聞きませんし、尊敬もされません。

　また『大学』には「修身斉家治国平天下」とあり、これは、天下を治めるにはまず自分の身を修め、次に家庭をととのえ、国を治めなければならない、という意味です。リーダーは、まず自分の身を修める「修身」から始めなければ、他者によい影響は与えられません。昔から「子供は親の背中を見て育つ」と言いますが、職場の中でも同じことが言えます。部下の人材育成も重要な仕事ですが、その前に自分の背中を部下に見せて「こうするのだ」と教えることができるようにならなければなりません。

　廣池千九郎は、企業のリーダーがみずからの品性を高めずに、ただいたずらに自社の社員・従業員ばかりにその善良さを求めることを、「これ、木に登って魚を求むるの類である」と言い、ちぐはぐな考えであると警鐘を鳴らしています。

　人は生まれてから、まず家庭や学校で教育を受け、そこから巣立った社会人は、社内外の教育訓練や研修、あるいは世間の教えを通して、ようやく自立した一人の人間になれると言ってもよいでしょう。それぞれの段階で上に立つ「師」による指導を受けるわけですが、歴史をひもとけば素晴らしい人物には必ず「よき師」が存在していました。指導に当たる者が弟子たちに「よい種」を植えつけることができたので、やがて芽を出し、花を咲かせ、実が成ったと言えるでしょう。リーダーたる者には、部下や後輩に対して「よい種」を植えられるような「自分」をつくるという、大きな責任があるのです。

他者や公のために尽くす心を

　リーダーの「自分づくり」とは、決して「個人的な価値観に従って自分のやりたいことをやる」「自分の欲望を満たすために野望や野心を押し通す」というものではありません。自分が常に周囲の人に生かされていることに気づき、

自分の志や夢を他者や公のために役立たせることを目指すべきではないでしょうか。すなわち世のため人のために役立つ仕事をして、社会から評価されることこそが、自己実現と言えるでしょう。それは「自分が自分で自分を自分にする」という心の修養にほかなりません。まず自分をしっかりマネジメントしたうえで部下や後輩を育成し、「公」という社会・国家のために役立つことが求められるのです。

column

自己に反省してこそ心が磨かれる

　自分自身の心を磨くには、自己中心的な心を取り払い、他者や公に尽くそうという大きな志を養うと同時に、困難なことに遭遇した際にも自分の努力が足りないと反省する心を持つことです。日常生活の中で言えば、気に入らないことに出会ったときでも、相手を思いやり、自己に反省する心を持つことが大切です。そうしてこそ、自己を磨くことができるのです。

人の上に立ってこそ得られるもの

　近年、会社に入っても出世を望まない若者が増えてきていると言われます。たとえば、平成20年に情報・通信企業のオリコンDD㈱が運営するwebサイト「ORICON STYLE」が、20～40代（男女、1200人）の社会人を対象に「定年するまでに"ここまで出世したい"と思う役職」について調べたところ、男女別、世代別のすべての層で「平社員でよい」と答えた人がトップ（約40％）となりました。その根底には、「出世は上司と部下の板ばさみで大変そう」「責任を負いたくない」といった消極的な思いがあるようです。
　しかし、人は、周囲の人を思い、責任を負い、そのために努力・工夫をしていくことによって、成長していくものです。自分だけよければという姿勢では、一時は喜びを感じられても、周囲の協力も得られず、喜びは長続きしないでしょう。
　教育哲学者・森信三は次のように言います。「人間は、進歩か退歩かの何れかであっく、その中間はない。現状維持と思うのは、じつは退歩している証拠である」（寺田一清編『森信三一日一語』致知出版社）。企業の中でわれわれが「進歩する」とは、積極的に仕事に取り組み、責任ある立場を目指していくということにほかならないでしょう。それは会社や周囲の人たちのためだけでなく、自分自身の充実した人生にもつながっていくのです。

6 リーダーの率先垂範と創造力

身をもって範を示す

　リーダーシップとは単に命令することではなく、部下や周囲の人に身をもって範を示し、部下のやる気や意欲を引き出すことにあります。周囲の人に「どんなことがあってもこのリーダーについていこう」という気持ちを自然に抱かせることなのです。

　太平洋戦争時、連合艦隊司令長官を務めた山本五十六（1884〜1943）の有名な言葉があります。「やってみせ、言って聞かせて、させてみて、ほめてやらねば、人は動かじ」。究極の規律を持つ軍隊という集団ですら、こうでなければ人は動かないのです。

　勝手気ままに振る舞う傍若無人なリーダーの後には、誰も自分からはついていかないでしょう。リーダーシップの目的は人を動かすことですが、「私は命令を下す人、あなたが実行する人」という態度では、人は動いてくれません。山本五十六の言葉は、人の心を動かし、働く意欲やモチベーションを高めるためには、リーダーみずからが率先垂範しなければならないと訴えています。

　また、ハーバード・ビジネス・スクールのジョン・P・コッター教授は『リーダーシップ論』（黒田由貴子訳、ダイヤモンド社）の中で、リーダーシップとは「変革を成し遂げる力量を指す」と述べています。企業は、経営環境の変化に適応するために、組織や社員の意識を変革しようと努めます。しかし、リーダーにそれを成し遂げる力量がなければ、部下はついてきてくれません。リーダーシップとは、部下がリーダーをリーダーと認知して、初めて成り立つものだからです。そこには仕事の力量以上に人間的魅力や品性が必要です。

リーダーみずから現場を知る

　「これをやっておきなさい」とか「黙って命令を聞け」という押しつけでは、部下のモチベーションは上がりません。「命令課長、命令部長」と揶揄され、人も育たず、仕事の質・量ともに向上しません。リーダーは言葉を発する前に先頭に立ち、身をもって実践し、後ろ姿で範を示しながら、仕事に対する誠実さを貫き通すことのできる人でなければなりません。

　仕事にはさまざまな要求があり、実際にリーダー自身が試してみないとわからないことは少なくありません。リーダーが「すぐ現場に、すぐ現物で、すぐ

現実に即した対策」で仕事をしないと判断できないこともあります。もし思ったように動いてくれない部下がいるなら、自分が現場を知らないために部下から共感が得られていない可能性があることに気づくべきです。「リーダーはプランナー（企画立案者）たると同時にアクター（実践者）たれ」というのはこのことです。

現場を知ってこその発想力

　現代は知識や技術が簡単に手に入る時代です。創造力を駆使し、独創性を発揮して、経営課題を現場でスピーディーに解決する能力が求められます。企業を取り巻く環境がハイスピードで変化し続ける中、変化に柔軟かつ迅速に対応しつつ、新しいものをつくり出すことがリーダーの大事な任務です。

　現場を知らずに部下から上がってくる報告や情報だけで判断しようとすれば、変化に対する新しい発想さえもなかなか生まれてこないでしょう。リーダーみずからが現場で時代の動向や顧客のニーズを察しながら、広い視野で想像力をたくましくし、先を見通さなければなりません。リーダーの創造力は現場情報を補う力のことですから、部下のアイディアもしっかり聞いたうえでリーダー自身のアイディアと結合させて練り上げ、常に現場の社員と一緒に課題解決にあたる気概を持ちましょう。

　リーダーシップとは生まれつき備わっているものではなく、経験を積みながら習得していくものです。厳しい試練や困難に遭遇したり、修羅場を乗り越える体験を得ることも、リーダーシップを身につけるプロセスとして重要なことだと心得ましょう。

memo

7　リーダーはグッドコミュニケーター

初めて部下を持ったときが変わるとき

「人生とは、我々が稽古する時間もなしに役割を演じなければならぬ劇である」とは、英国のB・H・チェンバレン（1850〜1935）という学者（日本語学）の言葉です。人生も芝居のように前もって準備やリハーサルができればよいのですが、ぶっつけ本番という場面もよくあることです。たとえば、子供が生まれれば、誰でも父親や母親になります。親になる準備ができていなくても、生まれた子供から見れば、親は子育てができて当然と思うようなものです。

初めて部下を持ち、先輩社員や上司になったとき、あるいはミドルマネジメントで新たなポストに就くときは、初めて親になったときと同じように戸惑うものです。そのような節目では、今までの心構えや姿勢から心機一転、自分の職場と仕事に誇りを持ち、熱意を持ってチームを統率していく以外にありません。

相手に関心を寄せる

組織は人の集まりであり、経営とは人を通して事業を成就することです。チームを統率するリーダーがその組織に活力を与えていくためには、まず部下の能力を引き出し、やる気と働く意欲を高め、チームとしての成果が正しく評価されるようにすることが肝要です。組織の活力の総和は、社員個人の「仕事力×働く意欲×チームワーク」のかけ算です。いくら個人が優れていても、それらが結合しなければ力にはなりません。特に部下に力を発揮してもらうためには、仕事のやりがい感、達成感、そして報われ感の三つを持ってもらうことが第一です。お客様が満足してくれているという実感や、提供する商品やサービスが社会に快く受け入れられた結果、会社に適正な利益をもたらしているという実感が得られること。それらが働く意欲ややる気を支えてくれるのですから。

もし部下の気持ちが沈んでいたり元気を失っていたりすれば、組織も心の病に冒されてしまいます。企業の組織は仕事の体系ではありますが、泣いたり笑ったりするなど喜怒哀楽を共にする社員の感情の体系でもあります。短所や欠点のない人間が存在しないのと同様に、組織や集団にも完全無欠な完成形はないでしょう。そんな不完全集団の中で、部下にやる気と活力を与えられるリーダーになるためには、何よりもリーダー自身が企業の内外を取り巻くステークホルダー（利害関係者）の間に立つ「グッドコミュニケーター」でなければな

りません。そのためには、ふだんから積極的に部下や同僚に声をかけるなど、相手に関心を寄せていくことが欠かせません。

互いに学び合えるコミュニケーションを

　仕事とは、人と人とのやり取りですから「ヒューマンスキル（対人関係構築力）」が要求され、他者とつながる力が求められます。コミュニケーション力はその基本です。人に関心を持つことで組織の雰囲気はよくなり、反対に無関心であれば、いろいろな問題が起きます。コミュニケーション不足が仕事上の認識不足を生むことになり、またコミュニケーションの行き違いによって仕事の成果がまるで違うものになってしまうこともあります。部下から報告・連絡・相談がなかったり、ミスやトラブルが隠されたり、仕事に熱意が見られなくなったり、自分の意見や考えを持たない消極的な指示待ち部下であったりするのは、もしかしたら、リーダー自身のコミュニケーションに原因があるのではないかと、自分の基本姿勢を振り返ってみましょう。

　上司と部下のコミュニケーションはキャッチボールであるべきです。もしかしたら、ドッジボールになってはいないでしょうか。上司のコミュニケーション能力が高まれば、組織の力は必ず強化されます。上司と部下との間のコミュニケーションは常時接続が基本です。多忙な中でもたまには雑談をしたり、仕事上で節目を迎えたら「飲みニケーション」を図ったりすることも、人間関係の潤滑油になるのです。情報の共有のためにもお互いに関心を持ち、相手が上司でも部下でも、コミュニケーションを通じて他者から謙虚に学ぶという姿勢を大事にしたいものです。

column

部下の心に火をつける

　20世紀の英国の教育哲学者、ウイリアム・アーサー・ワード（1921〜1994）の言葉に、「凡庸（ぼんよう）な教師はただしゃべる。よい教師は説明する。優れた教師はみずからやってみせる。そして偉大な教師は心に火をつける」という一節があります。

　企業のリーダー社員も一面では教育者であり指導者です。まず求められるのは、教育の眼目である相手（部下社員）と、日ごろから忍耐強くコミュニケーションを重ね、やる気と活力を引き出していくことです。リーダー社員には常に結果を出していくことが求められます。部下の心に火をつけ、部門やチームの全員が力を合わせていくことによって、一人ではできないことが可能になる──。どんなに優秀なリーダーといえども、一人では成しえないこともあると自覚しなければなりません。

8 リーダーは私心を捨て、犠牲を払う

地道な努力から得られるもの

　労働は英語で「Labor」と言いますが、語源をたどれば「苦役(くえき)」という意味です。これは働くことを苦役と考えた西洋の労働観です。しかし日本人は、もともと働くことは「傍(はた)を楽にすること」（山本有三著『路傍の石』新潮文庫）で、報酬はお金だけではなく、仕事のおもしろさや働きがいを得て自分が成長することにあると考えてきました。苦労を苦労と考えず、また苦労の結果は自分一人の成果とせず、他人と分かち合う精神があったからこそ、辛い思いをしても進んで働くのがよいという価値観が語られてきたのです。

　「ぬれ手で粟」という考えでは、広く長期にわたって社会から評価される商品、製品、サービス、技術をつくり出すことはできません。「果報は寝て待て」という言葉のとおり、あきらめず地道に努力をすることで、時間が味方をしてくれたり、思いがけないところで突破口に巡り合ったり、意図していなかった支援が得られたりして、最後には勝利を手にできるのです。むしろ自分にはできそうにない仕事や一見つまらなそうな仕事こそ、やり遂げたときに働きがいややりがいを得られるものだとも言えるでしょう。

尽くされるより尽くす喜びを

　かたくなに自分の考えを主張したり、自分の利益や損得を最優先に行動することは、リーダーとして最も避けるべきです。組織やチームで目標に向かって前進しているときは、そうした私心に邪魔をされ、判断がぶれてしまいかねません。リーダーは私心を捨て、犠牲を払う心づかいで、部下をはじめ、仕事に関わるすべての人々の幸せを図るように努めることが肝要です。自分の自由な時間を部下のために使ったり、見返りを求めない純粋な心づかいで部下を指導することができれば、自分自身の品性を向上させる大きな原動力にもなります。リーダーの醍醐味(だいごみ)は、尽くされるより尽くす喜びを味わうことにあるとも言えます。苦労を自分の成長のプロセスとして正面から受け止め、他者に尽くし、それに喜びを感じることのできる奉仕者精神を持ち続けましょう（15ページのコラム「求められる『サーバント・リーダーシップ』」を参照）。

9　心の器を大きくするもの

リーダーの肚づくり

　感謝しながら仕事に取り組む人に、不幸な人はいません。反対に、不平不満を抱いて愚痴をこぼしながら仕事をする人に、幸福な人はいないでしょう。自分はさまざまなものの恩恵を受けて、周囲の人からも助けられていることに気づき、そのことに素直に感謝できる謙虚さが、人間としての器を大きくします。

　人は感謝する心を持つと、謙虚になれるものです。謙虚になれば「自分の考えや行動ですべてを思いどおりに動かすことはできない」と理解して、「与えられた条件の中で自分にできる最大限のことをやり抜こう」という肚をつくることができます。その肚づくりが、リーダーとして仕事を成功させる出発点です。

　人はともすれば、組織やチームの中に自分より上位の人がいないと謙虚さを忘れ、ついつい傲慢になりがちです。いつしか自惚れや自己満足、独善に陥ってしまうでしょう。そうなると、人は自分の長所を自慢し、他人を見下すことさえあります。また、自分の欠点は生まれつきの性格で変わらないなどと考え、それを直そうともしません。残念なことに、人は物事を自己中心的に考える心の癖を持っていて、他人の欠点や短所には目ざとく気づくのに、他人の長所を認めてそれに学び、自分の欠点を補うことはなかなかできにくいものなのです。

信頼や信用を得るための近道はない

　高いモラルを持つリーダーとは、自分に多くの長所があってもそれを誇らず、自分の足りないところを補いながら努力していく人です。そうすれば周囲からの信頼を得ることができ、ビジネスや社会生活においてよい人間関係がもたらされます。

　優れたリーダーになるためには、いかに心を開いて人とつながることができるか、いかに困難に対処し乗り越えることができるか、いかに自分の信用力を高めていくことができるかが大切です。そのためには誠実さを信条に仕事に取り組み、思いやりと感謝の心を持って人に接し、謙虚に周囲の人の意見を聞き、常に向上心を絶やさないことです。いつの時代も、リーダーには人間としての器が問われます。人にも企業にも、信頼や信用を得る近道はないことを心に刻みましょう。

10　上司へは安心を、部下へは思いやりを

押さえ込まれ、突き上げられ……

　企業のトップでない限り、どんな部門やチームのリーダーであっても、さらにその上には上司や役員が配置されているものです。また、そこでは上司からは押さえ込まれ、部下からは突き上げられ、板挟みやジレンマと言われる状態に陥ることは誰もが少なからず経験することです。上司からの頼まれ事は自分が期待されている証、部下からの頼まれ事は自分が頼られている証と受け止めましょう。いずれも自分が成長する機会を与えてもらっているのです。

　部長や課長など、上司としては、部下を信頼して仕事を任せているものの、内心では思わぬミスやトラブル、あるいは事故につながりはしないか、想定外の落とし穴があるのではないかといった心持ちで、完全に安心している人は少ないでしょう。リーダーが心配事や気苦労から解放されることはありません。人は自分よりしっかりした大きなものに頼るほうが安心していられるからです。ビジネスには収益機会がある一方でリスク管理や危機管理がつきまとい、安心や安堵できる心境にはなかなかなれないものです。

人に任せるということ

　リーダーの心構えについて、パナソニック㈱の創業者・松下幸之助（1894～1989）は次のように言っています。

　「『好きこそものの上手なれ』という言葉がありますが、人に仕事をまかせる場合、原則としては、こういう仕事をやりたいと思っている人にその仕事をまかせる、ということがいいのではないかと思います。

　しかし、まかせてはいるけれども、たえず頭の中で気になっている。そこでときに報告を求め、問題がある場合には、適切な助言や指示をしていく。それが経営者のあるべき姿だと思います。これは言いかえますと“まかせてまかせず”ということになると思います。まかせてまかせずというのは、文字どおり“まかせた”のであって、決して放り出したのではないということです」（『松下幸之助「一日一話」──仕事の知恵・人生の知恵』PHP研究所）

　部下に仕事を任せたら、完全に任せる。しかし一方では、注意深く見守り、助言や指示を与えつつ、業務を達成させる。もちろん、結果としてミスが生じた場合、その責任を上司が取ることは言うまでもありません。

社内の人間関係を円滑にするためには、自分の上司に対しては、仕事上の進捗状況や推移について報告・連絡・相談を行い、上司に「安心していただこう」と心がけることが大切です。相手に安心を与えるということは相手を思いやるということです。部下の心理としては、よい報告はしやすくても、ミスやトラブルの報告はなるべく避けたいものですが、よい報告か悪い報告かにかかわらず、常に相手に安心を与えようと心がける人は周囲から大事にされ、上司を立てる後ろ姿は部下にもよい影響を与えます。

　思いやりの心は社内の人間関係のみならず、商品開発や製造販売でも、それらに関わるすべての人を思いやるという、道徳的な心づかいにつながります。自社の商品や製品、サービスの価値は最終的に顧客が決めることですから、真に深い思いやりの心がお客様の心に届くかどうかが問われているのです。

　リーダーとして相手を思いやる心があれば、部下に厳しい指導をしても真意は伝わるものです。部下に嫌われたくないばかりに、部下の顔色をうかがってリーダーシップを放棄するようでは、部下を本気で育てる気持ちが薄れている証拠でしょう。ましてや「自分のことで精一杯なんだから部下の面倒など見ていられない」では失格です。

　部下への遠慮は、ややもすると部下への甘やかしとなります。正しいことは正しい、おかしいことはおかしいと、その場で教え諭すことが、愛情をもって部下を育てるということなのです。それを先送りしていては「教えざる罪」をつくることになります。それが部下の人間力の形成に影響を与えるのだと認識しておかなければなりません。また、特定の部下だけをえこひいきすることなく、公平性に配慮することも、リーダーとして心得なくてはなりません。

　長年、最下位に甘んじていたスポーツチームがトップランクに躍り出たり、業績の低迷した事業部門が息を吹き返したようにヒット商品を生み出したりすることがありますが、それは思いやりの心に基づくリーダーシップが発揮された結果、もたらされたものだと言えます。

組織を生かせる人

　職場では、厳しさと温かさの中でお互いが切磋琢磨し、ふだんから円満な人間関係を構築してこそ、上司の仕事を部下が代行する「下位代行」や上司が部下の代わりに現場をこなす「上位代行」も自然に行うことができます。まさにこれが組織力の強みです。ときには通常業務をストップして、突発的な仕事に対処しなければならない場合もあるでしょう。そんなとき、円満な人間関係を構築しておかなければ強いチーム力は発揮できません。組織のリーダーが人間

関係を大事にすることによって、人を大切にする企業風土が浸透し、人が育っていくのです。

column

孔子に学ぶ心づかい

　孔子は「思いやりとは、自分が他人からそうしてほしくないと思うことを、人に対してもしないということである」（『論語』衛霊公篇）と述べています。これを職場の人間関係に置き換えれば、「上に立つ人は、自分が下だったら嫌だと思うようなやり方で下の人を使ってはならない。下の人は、自分が上に立ったら嫌だと思うようなやり方で上に仕えてはならない。つまり、常に相手の立場と相手の心を深く慮って行動することが、人として大切である」ととらえることができます。忠恕（思いやり）と惻隠（弱いものをいたわる）の心づかいと行動が、慈悲の始まりです。慈悲の「慈」とは他人に楽しみを与えることであり、「悲」とは他人の苦しみを除き去ることです。

　慈悲とは他人に好感や満足、そして安心を与え、常に自己反省する心です。慈悲心に立った自己反省の心とは、自分がミスをしたときは当然として、よいことをしたつもりで相手に叱られたときも、直接的に身に覚えがなく相手や周囲の人のミスに巻き込まれたときも、それを自分の不徳や至らなさのためであると反省する心のことです。自分に直接的に非がないとき、人は自分のせいではないことを強調し、言い訳をしたがるものですが、たとえ自分のミスではなくても、当事者の一人として反省することが、自分の心を成長させるチャンスなのです。このような真の慈悲心は、すべての人々を育て上げようとする、広くて深い普遍的な愛のことです。

　リーダーには、いつ、いかなる場合、いかなる人に対しても、その人の親であるという心づかいで、その人の心に安心を与え、自分の至誠の力で相手の至誠を引き出すことが求められます。上司や先輩に対してはもちろん、自分の同僚や部下に対しても、低い、優しい、温かい思いやりの心を持って接するのです。真のリーダーとは、こうした心づかいで他者の立場を尊重し、敬意を払うことのできる人です。

第2章
リーダーのための人材育成

変化の激しい現代において、あらゆる場面で優れた能力を発揮できるリーダー社員を配置することは、さまざまな経営環境を乗り切るうえで重要なことです。そして、その優れたリーダー社員が次代のリーダー社員の育成に努める風土こそ、企業の永続には欠かせない要素と言えます。みずからの品性を磨き高め、それを部下や弟子の心に移し植えていけるような存在を目指したいものです。

第2章のポイント

1. 企業の優勝劣敗は、人材次第
2. 企業は駅伝リレー、バトンタッチが大切
3. 先人に学ぶ人づくりと品性教育の意義
4. 社員の道徳心を育てる方法
5. 社員の育成は至誠一貫した慈悲の親心で
6. 部下の能力を尊重して仕事を任せ、才能を伸ばすこと
7. 人に教えることで自分が学ぶ
8. 親孝行ができる社員を育てる

1 企業の優勝劣敗は、人材次第

会社の未来をつくる投資

　企業は社員教育を通じて、道徳心を持つ人材を育成していかなければなりません。なぜそれが必要なのかと言えば、答えは企業によってまちまちかもしれませんが、企業を永続的に発展させるためであるというのがおおかたの答えでしょう。昔から「事業は人なり」「企業の未来は人材次第」「人材育成ができなければ企業も国家も没落する」などと言われてきたことからもわかります。

　企業永続の条件は優れた商品だと言う人もいるでしょう。あるいはカネや卓越した技術だと言う人もいるでしょう。そうであるとしても、それらを生み出す源泉がその企業の社員、つまり「人」であることだけは間違いありません。世の中に存在しているビジネスが「ピープルビジネス」と言われるゆえんです。そして、真に企業に必要な人材は、考えの甘い社員や凡庸な社員ではなく、マインドとスキルの両面において、周囲の人々から心・技・体ともに優秀と評価されるプロフェッショナルな社員であることは、万人が認めるところでしょう。

　しかし、人材育成は短期間で簡単に効果が出るものではなく、世の中で一流と言われるリーダーや社員を育成していくためには、手間もお金も時間もかかります。人材育成を「会社の未来をつくるための投資」と位置づけるなら、その投資の見返り（リターン）が目に見えてこなければ「無駄な投資」「投資に見合わないコスト（経費）」と受け止めてしまうおそれがあります。それでは長期的かつ継続的な教育投資は躊躇されてしまうでしょう。そこに、大きな落とし

穴が待ち受けています。

持続的な人材育成の仕組みを

　人を育てるには時間がかかります。促成栽培はありません。また、入社から定年退職まで、途切れることのない教育体系を整備・拡充し、人材が育つ仕組みを構築しなくては、会社の将来はありません。人材育成に時間をかけ、後継経営者や次代を担うリーダーを継続的に育成していかなければ、企業の持続的発展はストップしてしまいます。人材こそが企業の第一義的な「無形資産」であり、「有形資産を生み出す源泉」なのです。企業の持続的発展や永続的繁栄は、経営者や社員の成長とともにあり、人づくりこそが企業の優勝劣敗を決定していくと心得ましょう。

---

column

教育に力を注がなければ、企業の未来はない

　戊辰戦争（1868～1869）の後、窮乏に陥った長岡藩（新潟県長岡市）が示した「米百俵の精神」に見られるように、地域や国の未来を豊かにひらいていくためには、目の前の利益にとらわれず、人材育成に力を注いでいくことが肝要です。これは、企業の永続についても言えることです。

　廣池千九郎は昭和9年の講演で、次のように語っています。

　「年輩者はみな、子孫のためにどうにかして財産を残そうと思って働いているのでしょう。しかし、お金があれば幸せになるとは限りません。子孫にはお金よりもよい教育の機会を与えるほうがその人のためになるのです。いくらお金があっても、品性の劣悪な子供であってはなんの役にも立たないからです。現在、三府（東京、大阪、京都）でもたくさんお金持ちがいますが、子孫に対する教育を怠れば、100年後にはほとんど滅亡するでしょう。銀座や心斎橋通りや四条通りにも大きなお店が並んでいますが、100年後には7、8分も残らないはずです。それは世界の歴史を見ても明らかなことであって、私の憶測ではないのです」

2 企業は駅伝リレー、バトンタッチが大切

一人ひとりが駅伝のランナー

　組織や集団の中で、ごく限られた人がリーダーシップを持っていればやっていけるという時代ではありません。社内のあらゆる現場にしかるべきリーダーが配置されてこそ、変化の激しい経営環境を乗り切ることができるのです。育てられたリーダーが、後継リーダーやサブリーダーを育てるという連鎖が、世代間や組織階層間で絶え間なくつながっていけば、その組織には強いリーダーシップのパイプが生まれます。

　それは企業というグラウンドでは、私たち一人ひとりが駅伝のランナーであるということです。平坦な道だけでなく、急な上り坂や下り坂の区間も走りながら、たすきやバトンを次のランナーに渡すという大事な任務を担っているのです。次にバトンを渡すランナーを前もって社内に養成しておかなければ、駅伝はそこで棄権せざるをえません。バトンを渡すことができなければ、事業譲渡や経営破綻、倒産もしくは廃業という結末が待っているのです。優れたリーダーが次の走者を育てるという、人材育成の風土づくりが大切だと心得ましょう。

バトンタッチの意味

　企業の永続には新陳代謝が必要です。私たちは一生同じ仕事をするわけではありません。リーダーには次の走者にバトンを渡す時機が必ず到来します。組織改正や人事異動の節目がその時機と考えるなら、そのときには「リーダーになる意味」を自身の経験からしっかり伝え、前のリーダーも次のリーダーも共に同じ方向を向いて、今後の事業のあり方を確認し合わなければなりません。次のリーダーが今までの部門やチームの成果を引き継いだうえで、心新たに事業に取り組めるように働きかけることが大切です。

column

近江商人の駅伝リレー

　近江（滋賀県）の商人は、「売り手よし、買い手よし、世間よし」という"三方よし"を実践してきたことで知られています。私欲に走ることなく、三者すべての幸福が必要という教えを忠実に守ることで、客の信頼を得られるのです。企業は駅伝ランナーを通して、倫理観、道徳観が再生産できていないと、不祥事を誘発する遠因をつくりかねません。大事なことは、私欲を貪ることなく全体の発展を考える倫理観、道徳観が、世代を超えてしっかりと後継走者に伝承されていることです。

　近江商人たちの心得には次のようなものがあります。「当主（経営者）は、ご先祖様の手代となって働きなさい。ご先祖様におつくりいただいた店は30年間お預かりしたら、次の世代に託していくこと。自分は使用人、手代になったつもりで働きなさい。店をバトンタッチする役割を担いなさい。店というものを私一人のものとせずに、地域全体のための公器であると理解して、次の世代に継承していきなさい」。日本人が昔から大事にしてきた三方よしの理念と陰徳善事を実行してきた積善の企業は、駅伝リレーによって累代で継承されてきたのです。終わりなき累代教育こそ、永続企業の礎をつくります。

徳の継承

　フランスのモラリスト文学を日本に紹介したことで知られる河盛好蔵氏（文化勲章受章者、1902〜2000）は、「祖先の余徳」について次のようなエッセイを記しています。

　「世のなかの幸運な人、恵まれた人を見ると、その人たちの受けている幸福は、当人の力によるというよりも、その人たちの祖先が積み重ねた徳行の結果ではないかと考えるようになった。というのは、ささやかながら幸福に平和に暮らしていられるのは、自分の努力によるところはあるにしても、それ以上に祖先の余徳によるものだという信念が年を取るにしたがって、ますます強固になってきたからである。

　人間は、死んでしまえばあとには何も残らない、霊魂の不滅などということは信じられないという人がある。しかし私は人間は死んでもその人の血を受けた者が生きている限り、一族の魂、一家の霊とでもいったものは連綿としてつづくものであると信じている。したがって私は、自分の一生は死と同時に終わるのである、あとのことは自分の知ったことではないと考えることにどうしても賛成することはできない。自分の幸福は祖先の余徳によるものであるとしたら、自分もまた徳を積んで子孫の幸福を計るべきではないかというのが私の信念なのである。

　私は世間の、自分の幸福だけをがつがつと追い求めている人を見ると、浅ましいというよりは、気の毒な気がしてならない。あなたは子や孫たちの幸福まで先取りするのですかときいてみたくなる。

　これを要するに私は自分の一生を自分だけのものと思わず、永遠につづく生命の流れのひとこまとして考えたいのである。そして自分の子孫のために責任を持つのが人間としての正しい生きかたではないのかと思うのである」（『河岸の古本屋』講談社文芸文庫より）

　河盛氏の指摘は、個人や家の中に限ったことではありません。企業の永続を目指すのであれば、社員の間においても徳の継承をしっかりと行っていかなければならないことを示唆しています。

3 企業の人づくりは品性教育

「人をつくる会社」の大切さ

　廣池千九郎は、企業は人を育てる公設機関であるととらえ、「事業は人間を幸福に導く手段でなくてはならない」（改訂『廣池千九郎語録』77ページ）、「物をつくる工場ではつまらない。人間をつくる工場でないといけない」（同74ページ）と述べています。

　同じように松下幸之助も、「事業経営においては、まず何よりも、人を求め、人を育てていかなくてはならないのである。私はまだ会社が小さいころ、従業員の人に、『お得意先に行って、"君のところは何をつくっているのか"と尋ねられたら、"松下電器は人をつくっています。電気製品もつくっていますが、その前にまず人をつくっているのです"と答えなさい』ということをよく言ったものである」（松下幸之助著『実践経営哲学』PHP文庫）と述べています。この言葉には、ものづくりもサービスもまずは人づくりから、という経営者としての明確な考えが込められています。

「この会社なら間違いがない」と言われる社員に

　では企業の人づくりとは、どうあるべきなのでしょうか。

　人は生まれてから家庭、学校、そして企業という各ステージで、基本的な生活習慣から社会のマナーや法律の基礎、社会人としてのモラルまでを学びます。しかし、それだけでは不十分です。自立した一人の人間として他者とともに生き、与えられた人生をどう全うしていくか、その考え方の根本を学ぶことが大切であり、それが品性教育です。企業の人づくりの要諦はまさにこの品性教育にあります。

　ある企業の話です。その会社では社員が出張でビジネスホテルを利用したとき、チェックアウト前にベッドを整えて、バス・トイレをきれいにし、最後に部屋を出るとドアに向かって黙礼することを義務づけています。ホテル側は客の振る舞いや行動をよく見ているものです。マナーのしっかりした社員のいる会社なら、「きっと商品の品質もよく、間違いがないだろう」と、口コミやなんらかの形でよい評判が広がっていきます。そうしたマナーや他者を思いやる心づかいの小さな積み重ねが社員の心を成長させ、企業の信用力を盤石にしていくのです。

品性教育こそリーダーに課せられる役割

　教育（education）の語源を探ると、eduは「外へ」を意味し、cationは「carry」と同じく「運び出す」の意味があります。educationとは「外へ運び出す」、つまり「人間の能力を引き出す、導き出す」という意味になります。品性教育とは自分の道徳心で相手の潜在的な道徳心や諸能力を引き出すことであり、これこそ企業におけるリーダーの本業と言えるでしょう。企業の目的は顧客をつくり出すことであっても、第一義はそれを担う人づくりにあります。人が事業を育て、事業に人が育てられる。自分の会社のためにだけ社員を育てて使おうとするのではなく、どこへ行っても一人前として通用する立派な道徳心のある人間を育て、それを社会に送り出すのも、経営者やリーダーの役割です。

　事業の本は人にあり、人の本は道徳にあります。教育の原点は真理・善行・美徳を兼ね備えた人格形成であり、教育の目的は知識偏重ではなく、知徳一体・情理円満の人づくりにあります。リーダーは自他ともに成長すべく、真摯な姿勢で道徳性の啓発や教育に当たることが大切です。

---

column

3H's → 4H's

　スイスの教育者、ペスタロッチ（1746～1827）は、頭（Head）、心（Heart）、手（Hand）という三つの能力を調和的に発展させる3H'sの教育を提唱しました。これに対して、下程勇吉・京都大学名誉教授（1904～1998）は肚（Hara）を加え、4H'sの教育を提唱しています。肚の据わった人には、たとえ困難なことに出会おうとも志を貫いていける力が備わっています。

　私たちは、周囲の人との交流を通して自己の考え方や生き方を学び、自己を確立していきます。すなわち、周囲の人々と心を結んで生きることによって、自己の肚ができ上がっていくのです。反面、困難に直面して肚を据えることができなければ、周囲の人々に心を開くこともできません。このように心と肚は、ともに人と「つながる力」を支えるものであり、品性そのものと言えるのです。

4 社員の道徳心を育てる

一対一の人格的感化を

　道徳心と倫理観を伝え、身に備えさせる社員教育とはどういうものでしょうか。次の三点が考えられます。

　第一は、道徳の内容を、自分がこれまで学んだ学問・知識などを用いてわかりやすく説明し、相手の理性に訴えて人間生活の本末を正しく理解させ、確固とした道徳的判断力を身につけてもらう。

　第二は、温かい思いやりの心で接し、相手の感情に訴え、感激をもって受け止めてもらうことで深い道徳的心情（仁愛の心）を培う。

　第三は、自分の全人格をもって相手の良心に訴え、感化を与え、相手の道徳的態度を根本的に改める。そのうえで、現代の知識や技術・技能を習得してもらう。

　このように、教育とは一朝一夕に促成できるものではなく、また号令一下（ごうれいいっか）で育成できるものでもありません。一対一の人格的感化によって初めて成就（じょうじゅ）するものです。職場では回を重ねて話し合いの機会を持ち、部下に対して穏やかに、温かく、行き届いたお世話をします。また、相手の欠点や短所を指摘するのではなく、その立場、境遇、仕事の進捗状況などを十分に配慮し、相手の身になって助力することです。決して高圧的な態度で臨むのではなく、共感をもって相手の話によく耳を傾け、その人が自身の問題であることに気づき、自主的、自発的に道徳的な心づかいができるように導いていくことです。

高い次元の道徳を求めて

　「人心これ危うく、道心これ微（かす）かなり」とは孔子の教えですが、「人の道徳心はわずかで、ほとんど自己保存の本能に支配されて行動しており、危ういものである」という意味です。自己中心的にはたらく私たちの心は、高い次元の道徳（最高道徳）の大切さを知っても、直ちにそのような道徳心が起こるものではありません。ですから、初めは同情心や親切心からでも相手の身になって考え、行動するように努めることが大切です。誠心誠意、努力をしていても、思うように成果が上がらないことがあります。そんな場合でも自分の至誠（しせい）が足りないためと反省し、さらに静かに、やわらかに、親心を念頭に置いて相手に接していくのです。また、どのような困難に遭（あ）っても、恨（うら）んだり、憤慨（ふんがい）したり、

ましてや不平や恨みを口外するようなことがあってはいけません。そのような行為は、よい結果を得ることも自分の品性を向上させることもありません。あらゆる人々を慈しみ育てようとする親心を身近なところから発揮していくことによって、私たちの心には、しだいに真の道徳心が芽生えていくことでしょう。

廣池千九郎は「会社の重役、資産家、華族中の識者、一国の国務大臣及び社会の有力者が、この最高道徳の原理を理解されたなら、まずはその人の運命が必ず改善され、家運も永遠に滅びることがなくなるだろう。そして働いている組織の中にも、その幸福は大きく広がっていくことになるだろう」と、リーダーの立場にある人が高い次元の道徳を実行することの大切さを述べています。

column

「道徳は犠牲なり相互的にあらず」

一般に私たちは、よいことを行う場合、相手からの感謝や返礼を期待しがちです。たとえば、人に親切を尽くし、相談に応じたのに、感謝されなかったり、相手が期待どおりに動かなかったりすると、つい腹を立て、心の中で相手を責めることがあります。また、人と贈り物のやりとりをする場合、その値段や中身に必要以上に気をつかい、自分のほうが高価な品物を贈ると優越感を抱いたり、相手からの贈り物が粗末であったりすると不満の心を起こすことがあります。

このように、実行した形はよいことであっても、心づかいが悪ければ真の道徳とは言えません。それは、自己中心的な心に基づいているからです。

道徳は本来、犠牲的なものであり、感謝や返礼を期待しないものです。最高道徳では、どのような場合でも、犠牲的な心づかいを重視します。たとえば親切な行いをする場合、ひたすら相手の幸せを祈って至誠を尽くすのです。また、人に贈り物をするときでも、日ごろの恩に感謝し、相手の人に幸せになっていただきたいという真心を添えて贈るのです。そして、その結果が自然に報われれば感謝の心をもってそれを受け、報われなくても決して相手を責めることなく、自分の誠意が足りなかったものとして反省するのです。

このように見返りを求めない純粋な精神が、私たちの品性を向上させ、大きな幸福を生み出すのです。

5　社員を育てる親心

貢献心は褒め、叱るときは慈悲の心で

　江戸時代から明治にかけての「家庭心得」に「可愛くば、五つ教えて、三つ褒(ほ)め、二つ叱ってよき人にせよ」とありました。この五、三、二の比率が人を上手に育てる心得なのだということでしょう。褒めて育てるだけでなく叱って育てることも大事で、叱る回数が褒める回数より一つ少ないところが当時の人たちの知恵だったのです。人間は基本的に、褒められたい、認められたい、人の役に立ちたいという欲求を持っています。成果を上げた部下を必ず褒めることは大事です。人によっては「八褒め二注意」でちょうどよいというくらいです。部下の社業への貢献心を褒めて、相手の心を満たすのもリーダー社員の大事な心得です。

　一方で、私たちは相手の誤りを正したり注意をしたりする場合、「怒る」という行動をしばしばとります。「叱る」「怒る」という言葉はあまり区別することなく使われていますが、厳密には違いがあります。「叱る」の場合は相手を育てようとする慈悲の心で行うもの、「怒る」の場合は感情的な心の働きから生ずるものと言えます。

相手の心を責めずに叱る

　それでは、人を叱るとき、どのようなことに心がけたらよいでしょうか。

　人間の感情は、その場その場の状況に対応したもので、長期的な視点を欠くものです。四六時中、叱ったり怒ったりすることが好きな人はいないものの、「仏の顔も三度」と言われ、どんなに穏やかな人でも、何度も意に沿わないことをされ続けると、つい感情的な言葉を発してしまうことがあります。部下に対して「ダメじゃないか」「こんなこともわからないのか」「あれほど注意していたのに」などと感情的に言ってしまい、引っ込みがつかなくなることは少なからずあるものです。

　叱ることは相手によっては効果を発揮するかもしれませんが、一方的に怒るのでは相手も素直な気持ちで受け取りにくく、お互いに気まずくなり、人間関係を悪化させることもあります。部下が経営理念に反した行動をとった場合や自社の信用を失墜させた場合は当然注意しなければなりませんが、単なる仕事上のミスなどは、あまり目くじらを立てたりしないことです。人は怒られてい

ると感じると、人格が否定されているように感じられ、立ち直るまでに時間がかかります。叱ることが必要な場合には、冷静さを失わず、個人的な感情を排して、相手の心を責めずに叱ることです。

無償の愛を注ぎ込む

　日本電産㈱会長の永守重信氏は、「叱るときには徹底的に叱る」ことを指導の方針としていますが、その理由について次のように語っています。

　「わたしは幹部や社員をいじめてやろうと思って書類を破ったり、憎くて怒鳴ったり、叱りつけたわけではない。一日も早く部下を叱れる幹部に育ってほしい、世界に通用する技術や技能、テクニックを身につけ、プロとしての仕事ができるようになってほしいと考えてのことで、いわば愛情の裏返しなのである。他人の子供なら多少の過ちがあっても見て見ぬ振りはできる。しかし、これがわが子なら見逃せない。この親の気持ちと同じなのである」（永守重信著『「人を動かす人」になれ！』三笠書房）

　親は無償の愛情を注ぎ込んで子を育てるものです。深い愛情を持つ親が子供の幸せを祈って叱るなら、叱られた子供は、時間の経過とともに胸のつかえが下りて、必ず叱られた理由がわかるはずです。同じように、社員を育てる心は一貫して慈悲の親心でなくてはなりません。つまり、部下をわが子と思って深い思いやりで育てることができるかどうかなのです。相手の幸せを祈るような深い愛情を持てば、叱った瞬間は理解されなくても後で必ず伝わるものです。

　人は教育によってではなく、愛されることを通してのみ、愛することを学ぶものであると言われます。温かさと厳しさをあわせ持つことを信条とし、相手の短所よりも長所を発見し、それをさらに伸ばしてあげるように導きましょう。

---

column

「形に怒って心に怒らぬ」

　廣池千九郎は人育ての要点について、次のような言葉を残しています。

　「叱っても構いません。怒っても構いません。その心にさえ慈悲を持っておれば構いません。厳格で叱るほうがよろしいのです。形に怒って心に怒らぬように願います。心に怒って形に優しいのは駄目です」

　「考え方が未熟な人や不正をなす人に対しても、形の上では大声で叱ったりすることはありますが、決して感情に任せて怒るということをしません。常に慈悲寛大自己反省の心、すなわち真の親心をもって、相手が育つことを念願としているのです」

6　部下を尊重して任せて伸ばす

期待を持って部下に接する

　教師の期待によって生徒の成績が向上するという心理行動のことをピグマリオン効果と呼んでいます。人は期待されると元気が出て、その期待に応えようとするものです。企業においても同様で、リーダーが部下に期待すれば、部下は期待された分を返してくれることでしょう。人は一定の権限と仕事を任されると、責任を感じ、自分なりになんとか創意工夫していこうとします。部下一人ひとりの性格や適性、才能や経験などを見て、その人の天分や素質を生かす形で仕事を与え、「やればできる」と繰り返し励ましながら、仕事への意欲を高められるようにすることです。

　「出藍のほまれ」という言葉があります。教育を受ける弟子が、先生よりも優れた人になることを言った「青は藍より出でて藍より青し」（『荀子』勧学篇）から成った言葉です。部下や弟子が上司や先輩より優れた人物に成長することは、そのように導いたリーダーの指導性が卓越していたことの証明です。

column

「材知に任せて驥足を伸べしむ」

　廣池千九郎は、「材知に任せて驥足を伸べしむ」という格言を残しています。「材知」とは才能と知恵、「驥足」とは優れた才能を意味するもので、部下を持つ立場の人に注意を促すものです。

　上に立つ人の中には、下のいる人の才能を妬み、抑圧しようとする人もいるものです。それによって、下にいる人の才能が抑圧されてしまう場合もあるでしょうが、もともと力を持っている人であれば、かえってそうした抑圧に刺激を受け、才能を伸ばしていくでしょう。

　上に立つ人は、そうした浅はかな考えにとらわれることなく、道徳的で才能ある人、篤学の人、篤志の人を探し出し、最高道徳的に教え導くことでその人を幸福にするとともに、所属する組織、ひいては社会に利益をもたらすことが大切です。こうすることによって、その結果は皆、先輩自身の徳となっていくのです。

　そのようにして一人ひとりの道徳心に訴えていくことは、人類社会の諸問題を解決するために必要であるばかりでなく、相手や自分自身が喜びに満ちた価値ある人生を送るための鍵でもあるのです。

自分を乗り越えて行け

　部下や弟子の道徳性を向上させることは、教育に当たるリーダーにとっても後継世代にとっても真に価値のあることです。高い品性を身につけさせることを目的として、人材育成に努めましょう。人は自分を乗り越えてしまう人物を嫉妬（しっと）したり拒んだりする傾向がありますが、リーダーの能力が部下の能力のすべてを上回らなければならないということは決してありません。むしろ、いかに有能な人材に活躍してもらうかが問われます。たとえ10年や15年かかっても自分を乗り越えていくような人材、つまりリーダー以上の大器になる部下や弟子が一人でも育てば、結構なことではないでしょうか。

　アメリカの鉄鋼王、アンドリュー・カーネギー（1835～1919）の墓碑（ぼひ）には次のように刻まれています。「ここに自分より優れた人々を集めるすべを知っていた男が眠る」と。

---

column

マグレガーのX理論とY理論

　米国の心理学者で経営学者のダグラス・マグレガー（1906～1984）は、著書『企業の人間的側面』（高橋達男訳、産業能率大学出版部）において、人と労働についての理論として「X理論」と「Y理論」を示しました。X理論とは、「人間は本来怠惰な生き物で、みずから責任を取ろうとせず、放っておくと仕事をしなくなる」という考え方で、性悪説を前提としています。Y理論とは「人間は本来働くのが好きであり、自己実現のためにみずから貢献する意欲がある」という考え方で、性善説を前提としています。

　この二つの理論について、ドラッカーは著書の中で次のように述べています。「マグレガー自身は、二つの見方を示しただけで、いずれが正しいとは言わなかった。だが、彼がY理論を信じていると考えない読者、あるいはそのように仕向けられなかった読者はいなかったはずである」（『エッセンシャル版 マネジメント 基本と原則』上田惇生訳、ダイヤモンド社）。

　いずれの見方を持つかによって、リーダー社員の部下に対する態度は180度違ってくることは間違いありません。もちろん、Y理論の考え方であれば、リーダー社員と部下の間にはより協力的な関係がつくられる可能性があると言えるでしょう。

7 教えて学ぶ

「教える」とは学び続けること

　人を教える立場にある人が常にみずから求めて学び、成長し続けなければ、その人に教わる人も成長できません。たとえ教える側に立っていても、人は学ばなくなった瞬間に成長が止まるからです。また、どんな分野の仕事でも、自分が深く理解していないと人に教えることはできません。人は教える立場になってはじめて、その知識や技術に対する自分の理解の浅さや不備を知り、確信を得るためにより深く学びます。また、教える段階では、自分がやってきた仕事の内容やそれに伴う知識・技術を整理し、誰にでもできるようにマニュアル化したり、テンプレート化（ひな型化）したりすることもあるでしょう。それまでの暗黙知を形式知に変えることにより、仕事を論理的にとらえ、今まで以上に深く身につけることができるのです。人に教えるということは、実は教える人自身が学びを深めることでもあります。

無為にして化す

　社員教育や人材育成が成功する秘訣は、リーダーみずから凡事徹底を実行して後ろ姿で感化していくことにあります。上司が部下に対して事務的に接したり、理論をふりかざしたりするだけなら、部下は「この上司のために働こう」と思うはずがありません。心と心のふれあいによってゆるぎない信頼と絆を結び、将来の後継者や自分の右腕として頼りにできる部下を育てていかなければなりません。

　中国の老子の説に「無為にして化す」があります。これは「偉大な徳を持つ人は、特に何かをしなくても自然と人民に感化を与える。相手に強制しなくても、相手が心から進んで動くようになるのである」というものです。つまり、「何も言わなくても人がついてくる」のか「強く要請しないと人がついてこない」のかが問われます。もちろん、感化教育の理想は前者です。

　みずからの行いで示す無言の感化こそ、上下関係を超える人間同士の真のつながりを生み、組織を強くするのです。相手の行動をすぐ正そうとするのではなく、「自分が変われば、相手も自然に変わるもの」と思い、慈悲の心を持って接していくことを心がけましょう。

8 親孝行のできる社員に

心から親に感謝する

　親は子供を生み、献身的に育て、子供が立派な人間になることをひたすら願っています。私たちは親から受けたこの恩恵に、何をもって報いればよいのでしょうか。

　普通、親孝行とは、自分が世話になったから恩を返すという考えに基づいて行われてきました。そのため、利害に反することが起きたときには、親を責めたり、ないがしろにしたり、あるいは親と争うことさえあります。形のうえでどんなに親孝行をしていたとしても、心は自分本位ですから、得か損か、好きか嫌いかという利己心に基づいて行動し、その結果、自分で苦しみや争いの原因をつくるのです。親に対して真に感謝する心を持つことが、自分自身の安心と幸福を生み出すことに気づかないのです。

親孝行な人は社会から信頼される

　廣池千九郎は、幼少のころから孝心が厚く、人一倍親孝行に励みました。歴史学者を目指し、生活苦と闘いながら学問研究に打ち込んでいた青年時代には、郷里の大分県中津から両親を京都見物に招いたり、珍しいお菓子が手に入ると直ちに両親に送ったりするなど、徹底して孝養を尽くしました。しかし後年、最高道徳の実行を志すようになってからは、それまでの親孝行が不十分であることに気づき、「親孝行を為した人が、まだ為したらなかったので残念であると思う心が真の親孝行の心である」と述べています。

　孔子が「孝は百行の本なり」と説いているように、身近な親に孝行できない人が、他人を大事にして善行を施すことはできません。廣池は「親に孝行をする人に不道徳な人はいない。また、親孝行が存在する家や国が衰えるはずはない」とまで言っています。自分の生命を生み育ててくれた親や祖先に対して孝養を尽くす行為は、借りたものを返すようなもので、人間としての義務を果たすことにほかなりません。ですから親孝行な人は、社会から多くの尊敬と信頼を受けるのです。

企業の永続に欠かせない心

　企業では、顧客満足（CS）や顧客第一主義（CF）を社員の行動基準に掲げ、

教育研修を行っています。もちろんそうした研修で一定の効果は期待できますが、もし感謝や報恩の心を忘れ、単なる社内の約束事として知識や技術・技能を教えるのであれば、その効果は一時的であって、長い目で見ると自分優先の社員しか育たないことになります。

孝心なき家、愛国心なき国家は、必ずどこかで破綻(はたん)を招きます。親孝行が家族愛、郷土愛、祖国愛につながり、心豊かで品格のある人間をつくり、人類愛へと発展していく出発点なのです。企業も真心を持ってさまざまな恩恵に感謝し、恩に報いる社員を育てることが、永続と発展の条件です。

column

親孝行をするために会社を休む

心の修養をユニークな形で実践している会社があります。その会社の社員は、自分の誕生日は会社を休まなければなりません。自分の誕生日を祝ってもらうためではなく、自分を生み育ててくれた両親に「ありがとう」を言い、親孝行をするために会社を休むのです。そしてその日、どんな親孝行をしたかを会社にレポートすることになっています。これは「親を大切にする心がなければ、お客様を大切にできるわけがない」という経営者の信念に基づいて行われるものです。自分を生み育ててくれた両親に対して感謝の気持ちが持てない人に、他人である顧客を大事にする心が育つはずがないのです。

memo

第3章
経営目標達成の戦略づくり

企業は、世の中に価値を提供し続け、お客様にその価値を認めてもらい、営々と発展していかなければなりません。しかし、その王道はありません。また、そのとおり実践すれば必ずうまくいくという教科書もありません。とはいえ、世の中の多くの成功例から学ぶことはできます。いかに社員の心を一つにまとめ、事業戦略を構築していくか。多くの成功例に共通する仕組みや考え方を体系化し、解説してみましょう。

第3章のポイント

1. 経営理念は、自社の存在理由、事業目的、価値観を示すメッセージ
2. 優れた経営理念には、社会への貢献・寄与の精神と社員への行動指針が示される
3. 創業者の価値観を基盤に、時代の変化に応じた経営理念をつくろう
4. 社員のやる気と元気を生み出す経営ビジョンを示そう
5. 変革のチームメンバーのメッセージが統一できたとき、真に説得力のある経営ビジョンができ上がる
6. 自社の置かれた環境を分析し、戦略の大枠をつくろう
7. 顧客の潜在ニーズを見定めて、戦うべき領域を決定しよう
8. 業界での自社の地位に着目し、競合企業と戦う戦略を策定しよう
9. 業務の流れ図で現状を把握し、その改善・再構築を図ろう
10. 新たな業務の流れ図に基づき、漏れと重複のない組織をつくろう

1 経営理念をつくる

(1) 経営理念とは何か

　企業が存在し続けるためには、自分たちが社会に対してどのような価値を提供する存在なのかを明らかにすること、つまりしっかりした経営理念を持っている必要があります。

　最初に、企業の存在理由を考えてみましょう。一般的に、企業は利益を追求し続けなければ生き残れません。しかし、企業は利益を追求するためだけの存在ではありません。法人格を持つ企業を一人の人間として考えてみるとわかりやすいでしょう。

　「あなたは金儲けをするために生きているのですか」と問えば、誰もが「冗談じゃない」と答えるでしょう。そして、ある人は「人の役に立ちたいと思って生きているんだ」と続けるでしょう。またある人は「幸せな家庭を築きたいと思って生きている」と続けるでしょう。おそらく「冗談じゃない」の後に続く言葉は人それぞれに違うはずです。なぜなら、一人ひとりの価値観が違うからです。しかし、「金儲けのために生きているのではない」という点はほとんどの人が共通しています。

私たちはこの世に生を享けてから、親の愛情を受け、教育を施され、独り立ちしてきました。結婚して子供が生まれると、その成長を見守りながら、自分が受けてきた愛情以上のものを子供に注ぎます。
　お金は必要ですが、家族のため、子供たちのために必要なのであって、お金儲けが目的の人生ではないのです。
　企業も同じです。「わが社は利益を追求するために存在している」という経営者もまれにいますが、せいぜい設立間もない個人事業主か、強欲な経営者ぐらいです。もし「金儲け」が企業の目的であり、存在理由だったとしたら、その会社は違法な行為もするでしょうし、世の中に害悪を垂れ流す非社会的な行為にも手を染めるはずです。そんな会社を誰が信用するでしょうか。誰もその会社から商品を買わなくなります。
　このように、会社の「商品価値」と「企業イメージ」に対して、世の中の暗黙の同意がない限り、その企業は市場から抹殺されます。
　経営理念とは、自社の存在理由と事業の目的を明らかにし、みずからの価値観を示した、世の中へのメッセージです。人々の同意を得るためには、簡潔で明快な経営理念をつくる必要があります。

(2) なぜ経営理念は必要なのか

　企業に経営理念が必要とされる理由はもう一つあります。
　よく「企業は人なり」と言われますが、社員によい仕事をしてもらわなければ、企業は生き残ることができません。なぜなら、社員の日々の行動の結果として売上げが上がり、利益が生まれるからです。また、いくら売れる製品やサービスを提供したところで、人に迷惑をかけるような仕事の仕方をすれば、いずれ市場から葬り去られます。
　ですから、社員間で業務の流れがばらばらにならないように、社員の心や意識（マインド）を向上させ、進むべき方向性（ベクトル）を合わせ、仕事の仕方（ノウハウ）を共有しておく必要があるのです。
　経営理念とは、社会から存在を認められるためのものですが、社員の心を一つにするためにも絶対に必要なものなのです。

(3) 企業の経営理念の具体例

　わが国を代表する大手企業の経営理念には、いくつかの共通点があります。

◇ パナソニック

「生産・販売活動を通じて社会生活の改善と向上を図り、世界文化の進展に寄与すること」

創業大正7年（1918）のパナソニック（旧松下電器産業）は、創業者である松下幸之助が示した「綱領」にその源を見ることができます。原文は、「産業人たるの本分に徹し、社会生活の改善と向上を図り、世界文化の進展に寄与せんことを期す」とありますが、現在では平易な文章に改善され、"わたしたちの使命"として社員の間に浸透しています。

◇ アサヒビール

「アサヒビールグループは、最高の品質と心のこもった行動を通じて、お客様の満足を追求し、世界の人々の健康で豊かな社会の実現に貢献します」

創業130年を超える今も、挑戦的でアイディアにあふれた製品を世に送り続けているアサヒビールでは、目指すべきものとその意味とが非常に明快に語られています。この経営理念が深く現場に浸透しているからこそ、ビール市場のシェアトップに躍進できたのです。

◇ トヨタ自動車

「内外の法およびその精神を遵守し、オープンでフェアな企業活動を通じて、国際社会から信頼される企業市民を目指す」

「各国、各地域の文化、慣習を尊重し、地域に根ざした企業活動を通じて、経済・社会の発展に貢献する」

「クリーンで安全な商品の提供を使命とし、あらゆる企業活動を通じて、住みよい地球と豊かな社会づくりに取り組む」

「さまざまな分野での最先端技術の研究と開発に努め、世界中のお客様のご要望にお応えする魅力あふれる商品・サービスを提供する」

「労使相互信頼・責任を基本に、個人の創造力とチームワークの強みを最大限に高める企業風土をつくる」

「グローバルで革新的な経営により、社会との調和ある成長を目指す」

「開かれた取引関係を基本に、互いに研究と創造に努め、長期安定的な成長と共存共栄を実現する」

これらの経営理念の根本に流れているのは、創業者である豊田佐吉の遺訓とされる「豊田綱領」にある「上下一致、至誠業務に服し、産業報国の実を挙ぐべし」「研究と創造に心を致し、常に時流に先んずべし」「華美を戒め、質実剛

健たるべし」「温情友愛の精神を発揮し、家庭的美風を作興すべし」「神仏を尊崇し、報恩感謝の生活を為すべし」の思想です。1992年に経営理念としてつくられ、1997年に改訂されました。

◇ 京セラ
「全従業員の物心両面の幸福を追求すると同時に、人類、社会の進歩発展に貢献すること」

「アメーバ経営」「稲盛会計学」など独特な経営手法で今日の地位を築き上げた京セラの経営理念は、実に明快かつシンプルで、人（＝社員）を重視する思想が見て取れます。

(4) 経営理念の共通点

日本の企業の経営理念にはいくつかの共通点があります。

一つは、社会との関わり方を、「貢献」または「寄与」という言葉で表現していることです。パナソニックは「世界文化の進展に寄与」すること、アサヒビールは「世界の人々の健康で豊かな社会の実現に貢献」すること、トヨタは「経済・社会の発展に貢献」すること、そして京セラは「人類、社会の進歩発展に貢献」することを謳っています。

もう一つの共通点は、どうやって貢献するかを「〜を通じて」、または「〜を追求して」という言葉で表現していることです。パナソニックは「生産・販売活動を通じて社会生活の改善と向上」を図り、アサヒビールは「最高の品質と心のこもった行動を通じて、お客様の満足」を追求し、トヨタは「オープンでフェアな企業活動を通じて、国際社会から信頼される企業市民」を目指し、「地域に根ざした企業活動を通じて、経済・社会の発展に貢献」するとし、京セラは「全従業員の物心両面の幸福」を追求すると明言しています。

このように、優れた企業の経営理念の多くは「△△を通じて、××に貢献する」という一つのスタイルを持った文章で表現されています。しかも、その短いメッセージの中に「社会にどんな価値を提供するのか」という企業としての価値観、また「社員にどう行動してほしいのか」という人間としての行動指針も示されています。

(5) 経営理念のつくり方

あなたの会社には経営理念がありますか。また、あっても、若い社員から敬遠されていたり、ただ額に入れられて飾ってあるお題目のようになっていたりしませんか。

その場合、理由の多くは、社会へのメッセージが弱かったり、社員の共感が得られなかったりするからです。

おそらく、創業者のつくった経営理念だから大事に取ってあるのでしょう。しかしながら、時代は変わっていきます。創業者の初心を伝えながら、その価値観をベースにした形で、時代や環境の変化に応じて改訂すべきです。パナソニックもトヨタも創業者のつくった綱領を現代風に改訂して、新しい経営理念をつくりました。

企業理念を作成するためには、まず「△△を通じて、××に貢献する」という文章を作成します。そのうえで、会社の目指す目的や価値観に合った表現に修正するという手順で進めます。社長一人でつくって、トップダウンで浸透させる方法もありますが、あまりお勧めできません。社員一人ひとりにその真意を浸透させることがとても難しいからです。

ここでは、経営幹部チームでのディスカッションをもとにする方法をご紹介します。

❶ ファシリテーターの決定とキーワードの洗い出し

まず司会者（ファシリテーター）を決め、ブレーンストーミング（※）によって経営理念の根幹をなす重要なキーワードを洗い出します。

・わが社はどんな商品やサービスを提供したいのか。
・お客様にどんな価値を提供したいのか。
・その価値を提供することで社会にどんな貢献をしたいのか。

このテーマに関して思いつくキーワードをどんどん出します。数が勝負ですから、とにかくたくさんのキーワードを、ホワイトボードや模造紙などに貼りつけやすいメモ（以下、付箋）に書き出します。

❷ キーワードのグループ分け

　ホワイトボードや模造紙の上部に、「△△を通じて」というタイトルと、「××に貢献する」というタイトルを書き、その下に二つの大きな円を描きます。そして、その円の中に、キーワードを書き込んだ付箋を分類して貼りつけます。貼りつけながら、なぜそう考えたのかをチームで共有することがポイントです。

❸ キーワードの絞り込み

　キーワードが分類されて「△△を通じて」と「××に貢献する」という円の中に納まったら、会社にとって最も大切にしなければならないいくつかのキーワードに絞り込みます。これはたいへん重要な作業ですから、チームで意見交換をしながら、じっくりと考えます。時間をかけてもかまいません。

　絞り込みの作業を上手に進めるコツは、たくさんあるキーワードをいくつかのグループに分けながら整理していくことです。細かいグループがたくさんできてしまった場合は、それらを包合するグループをつくって統合していきます。こうして絞り込みを繰り返していけば、やがて二つか三つのグループにまとめることができます。たとえば、「△△を通じて」という円の中は、「最高の品質」というグループと「心のこもった行動」というグループに大別されるように。

　ここで大切なのはチームの合意です。どれも捨てがたいキーワードだと思えるかもしれませんが、あれもこれも盛り込んでしまっては、結局何も語っていないのと同じことになってしまいます。単純化すること、より本質に迫ることが肝心です。

❹ シンプルな言葉で短く表現する

　「△△を通じて」の△△と、「××に貢献する」の××が出揃ったら、そのキーワードを使って経営理念の文章をつくります。

　ここまで来れば後は国語の世界です。好みの文章表現に化粧し直してください。しかし、経営理念はあなたのためにつくるわけではありません。文章化するときには必ずお客様や取引先、また株主や社員を念頭に置いて考えることが大切です。誰もが瞬時に理解できるようなシンプルな言葉で短く表現することを心がけましょう。

　先ほど紹介したトヨタの企業理念は長い文章ですが、それは企業のサイズと事業の規模からしてやむをえないものです。パナソニックやアサヒビール、京セラなどの大手企業でも、数十文字で経営理念を言い尽くしています。事業領

域や商圏などを絞り込んでいる中堅企業の場合、シンプルにできないはずはありません。

❺ コミュニケーションテスト

　会社の考え方を広く知ってもらうために作成する経営理念ですから、会社の考え方や価値観を十分に表現できているかどうか、また意図がきちんと伝わって理解されるかどうか、何人かのモニターに確認してもらう必要があります。そのために行うのがコミュニケーションテストです。

　社員をはじめ、懇意にしている取引先、株主など、ステークホルダー（利害関係者）の何人かに経営理念を読んでもらい、簡潔で明快な内容であるかどうかを確認するための実験です。もし人によって理解にバラツキがあるようであれば要修正です。文章の推敲ですから、何度か修正が入って当たり前と考え、じっくり修正して再度テストしてみてください。こうして推敲を重ねていくと、必ず見違えるように洗練された文章ができ上がります。

> （※）ブレーンストーミング
>   実現の可能性などに縛られずに、自由にアイディアを集めるための手法。実践に当たっては、他者の発言を批判しないこと、自由奔放に考えること、質より量を重んじること（質については後で議論できるため）が大切です。
>   進め方としては、参加者に自由に発言を促し、その内容をファシリテーターまたは板書係がホワイトボードにどんどん書いていく方法、あるいは参加者に付箋を配布して記入させ、ファシリテーターまたは書記が読み上げながら、ホワイトボードや模造紙等に貼っていく方法があります。

memo

2　経営ビジョンをつくる

(1) 経営ビジョンとは何か

　経営ビジョンは、数年先という将来の会社の姿を表したもので、企業活動が中期的に目指すものは何かということを示します。企業が時代や環境の変化に対応していくためには、全社員が数年先のあるべき姿を共有し、同じ目標に向かって力を合わせ立ち向かうことができるビジョンを示す必要があります。

　企業の普遍的、永続的な目的や社会への貢献を表現した経営理念は、企業活動のよりどころとなり、長きにわたって変わることはありませんが、中期的な目標である経営ビジョンは時代や環境によって変化するものです。経営理念とはその役割も効果も全く異なり、どちらかがどちらかの役割を代行することもできません。抽象的な概念ではなく、はっきりとした将来の見通しを示す経営ビジョンは、社員を納得させ、株主や資金提供者のロイヤリティも高めることができます。

　そうした具体的なイメージを描いてみましょう。

　今、あなたたちは何日も日照りが続き、田畑は荒れ果てて、水も食料もない高い山のふもとにいるとしましょう。もうこの地で暮らすことはできません。

　一方、山の向こう側の地は、緑と水に覆われ、花が咲き、鳥が飛び交い、食料もふんだんにあります。あなたたちはこれから辛く苦しい登山を何日も続けて山の向こう側に行かなければなりません。そのグループのリーダーであるあなたは、メンバーの命を守らなければなりません。

　メンバーの中には、そのような苦行をするよりも今の土地でじっと耐え、雨が降るのを待つべきではないかと、抵抗したり反抗したりする人もいるでしょう。ビジョンとは、そうした閉塞状況を乗り越えた向こう側にある景色を示します。新しい土地のイメージを具体的に描くことができ、これから始まる苦労が報われた際には素晴らしい日々を手に入れられることがわかれば、皆にやる気や元気が湧いてきます。モチベーションが上がって、そのビジョンに向かって進むことを望むようになります。

(2) 優れたビジョンステートメント

　優れた会社の経営ビジョンを紹介する前に、世界のオピニオンリーダーとし

て有名な人々が発信し、多くの人々に影響を与えたビジョンステートメントをご覧ください。

◇「I have a dream」／マーチン・ルーサー・キング（キング牧師）

「I have a dream that my four little children will one day live in a nation where they will not be judged by the color of their skin but by the content of their character」

「私には夢がある。私の4人の子供たちが、皮膚の色ではなく、人格で判断される国に住む日が来ることだ」

今でも世界最高のビジョンステートメントの一つに数えられるものです。1963年8月28日、ワシントン記念塔広場でのキング牧師の演説の一節は、力強い言い回しや平易な英語に人種差別撤廃への思いが込められていて、多くの人々の感動を呼びました。オバマ大統領も、2008年11月の勝利宣言スピーチでこの言い回しを参考にしたとされています。

◇「月に人類を送り込む」／ジョン・F・ケネディ

「I believe that this nation should commit itself to achieving the goal, before this decade is out, of landing a man on the Moon and returning him safely to the Earth. No single space project…will be more impressive to mankind, or more important」

「私は、今後10年以内に人間を月に着陸させ、安全に地球に帰還させるという目標の達成に、わが国が取り組むべきだと考えている。宇宙長距離探査の分野で、人類にとってこれ以上に素晴らしく、これ以上に重要な宇宙計画はないだろう」

ケネディ大統領が1961年5月25日に米国上下両院合同議会で行ったアポロ計画支援の演説です。当時のアメリカは、まだ宇宙船を地球周回の衛星軌道に乗せた経験がなく、NASAの関係者さえこの公約の実現性に懐疑的だったと伝えられています。しかしながらこの演説を機に、実現に向けての機運が高まり、ついに1969年7月20日、人類初となる有人月面着陸を成功させました。

では、成功した企業の経営ビジョンを見てみましょう。

◇ GE（ゼネラル・エレクトリック）社／ジャック・ウェルチ

「どの事業分野でも1位か2位を誇れるだけの引き締まった組織で、しかも最

低限のコストで最高級の製品とサービスを全世界規模で提供できる企業になる」
　GE（ゼネラル・エレクトリック）社のCEOを務めたジャック・ウェルチが1981年に掲げたビジョンは、短い文章の中に目指すべきことがすべて表現されています。

◇ 日本マクドナルド／藤田 田
「新しい食文化の創造と拡大のために、全国1万店体制を築き、売上1兆円を目指す」
　1971年、日本マクドナルドの藤田田が、マクドナルドの第1号店を銀座にオープンしたときに掲げたビジョンです。こちらは、ピンポイントで目指す姿が数字で明快に表現されています。

(3) 優れた経営ビジョンの共通点

　優れたリーダーが語るビジョンステートメントにはいくつか共通している要素があります。
　第一に、シンプルで率直であるということです。誰でも理解できる平易な言葉で、率直に表現しています。
　第二に、動機づけと元気づけをする言葉があります。聞く人々の心をわくわくさせ、行動を促します。
　第三に、成果を測定できるということです。具体的には、達成度を測れる数値が盛り込まれています。
　第四に、人によって理解にばらつきがないということです。はっきりと具体的に到達点が示されています。
　第五に、挑戦的であるということです。すぐに手の届く目標ではなく、チャレンジ心を喚起します。
　わくわくするようなビジョンステートメントに、これらの要素を込めて社員に示すことは、企業が確実に目標を達成していくうえでとても大切なことなのです。

(4) 経営ビジョンの策定

　では、あなたの会社の経営ビジョンを実際につくってみましょう。
　まず山の向こうの約束された地のイメージを膨らませるところから始め、い

くつかのステップを踏んで、最終的には素晴らしい文章にしていきましょう。経営理念のときと同様、経営幹部チームの皆さんでディスカッションしながら行ってください。

❶ バックワードイメージング

5年後にあなたの会社は大成功を収めています。その職場で社員が働いているところを想像して、何を見、何を聞き、そして何を感じているか、頭に浮かんだことをすべて素早く付箋に書いていってください。目を閉じ、想像力を働かせてどんどんイメージを広げます。

もう一つ想像してください。今日からちょうど5年後の同じ日の朝刊に、あなたの会社が大成功したニュースが一面のトップに載っています。あなたはどんな活字を見、どんな写真を発見するでしょうか。これも想像力を働かせてどんどん付箋に書いていってください。

❷ 文章化

バックワードイメージングで洗い出した「5年後の現実」を頭に置きつつ、会社が向かうべき姿を文章にしてみてください。初めからきれいな文章にする必要はありません。どんな姿になっていたいのかを表す言葉を探すことが大切です。言葉を探す際には、先に触れた五つの要素に配慮しましょう。

言葉が決まったら、わくわくするような表現に仕上げてください。

❸ エレベーター・スピーチ

素晴らしいビジョンステートメントができ上がったら、今度は本気でビジョンを達成しなければなりません。それを宝の持ち腐れにしないためには、社員、お客様、株主など、さまざまなステークホルダーに協力を仰ぎ、メッセージを統一しておく必要があります。ばらばらな表現でばらばらな趣旨のことを発信しないようにするためには、その表現方法や説得の手法を統一しておかなければなりません。そこでエレベーター・スピーチというツールを使ってメッセージをシェイプアップします。

エレベーター・スピーチとは、重要なステークホルダーとたまたまエレベーターに乗り合わせたと想定し、90秒の間に理解と共感を得、依頼を了承してもらうという練習です。エレベーター内の90秒という時間は、長いようですが、やってみると結構短いものです。

ここで大切なのは、どんな原稿をつくるかということです。あなたのチーム

がまさに今、行おうとしている変革について、90秒間で伝えられる簡潔なメッセージをつくらなければなりません。

　エレベーター・スピーチの原稿づくりは、チームの意思統一が重要なテーマですから、経営理念のときに行ったようなブレーンストーミングの手法で、メッセージの絞り込みをします。

- 私たちが今行おうとしている変革は何か。
- それによって、会社はいつ、どんな姿になっているのか。
- それはどんなよいことをもたらすのか。
  （会社に、社員に、株主に、お客様に……）
- その変革のために、相手に求めたいことは何か。

そうして最も重要なメッセージに絞り込み、簡潔で共感を得られる原稿に仕上げ、本番さながらの練習をします。ロールプレーイングの要領で、相手役を決めて練習してみてください。

　このエレベーター・スピーチによって、今取り組んでいる変革のチームメンバー全員のメッセージが統一できたとき、本当に説得力のある経営ビジョンができ上がるのです。

　経営理念と経営ビジョンができたということは、ゆるぎない事業の根幹ができ上がったということです。その上に立って、新たな事業戦略を構築してください。

memo

3　経営環境を分析し大枠の戦略を策定する

(1) 環境の分析と戦略づくり

　目的達成のためには、具体的で筋の通った戦略が必要です。持続可能であり、勝算を感じさせる戦略は、目的達成のための力強い手立てとなりますが、その前に、まず自社についてしっかりと分析しておく必要があります。己を知らずして競合と戦うことはできません。

　また、自社の置かれた環境の変化についても把握しておき、そのうえで戦略の大枠を決めます。その手順は四段階に分けられます。

　① 環境の変化による自社にとってのチャンスと脅威を明らかにする。
　② 自社の強みと弱みを把握する。
　③ チャンスを逃さないために強みをどう生かすか、戦略を立てる。
　④ チャンスを逃さないために弱みをどう克服するか、戦略を立てる。

(2) SWOT ツールの活用

　図1は「SWOT」と呼ばれるツールです。
　Sは強み(Strength)、Wは弱み(Weakness)、Oはチャンス(Opportunities)、Tは脅威(Threat)を表します。

SWOT ツール（テンプレート）　　図1

自社の強み	自社の弱み
Strength	**W**eakness

環境のチャンス	環境の脅威
Opportunities	**T**hreat

図2のように、このツールを使って自社の強みと弱みを分析しながら戦略を立てていきます。かつて、ある大手旅行代理店が実施した例を図3に示します。これを参考にして環境の分析と戦略づくりをしてください。

SWOTの進め方　　図2

戦略を練る

内部環境

	強み	弱み
外部環境 チャンス	チャンスを逃さないために強みをどう生かすか	チャンスを逃さないために弱みをどう克服するか
外部環境 脅威	脅威を克服するために強みをどう生かすか	脅威を克服するために弱みをどう克服するか

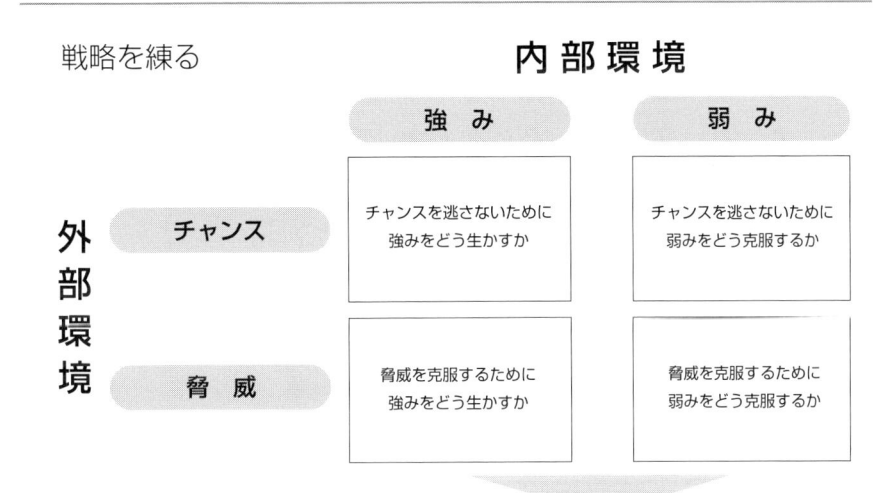

↓ 戦略ステートメントへ落とし込む

SWOTツール（大手旅行代理店の例）　　図3

まずはSWOTツールで事実を分析

自社の強み
- 拠点数が多い
- ブランドイメージがある
- 幅広い品揃えがある
- 優れた商品開発力がある

自社の弱み
- 総花的で個性がない
- 高コスト体質である
- ブランドイメージがあるので低価格商品に踏みきれない
- 若年層をつかみきれていない

環境のチャンス
- チャネルが拡大する（コンビニなど）
- 熟年層が増える

環境の脅威
- 低価格競争で収益性悪化懸念
- 異業種参入（ネット販売等）
- 消費者の旅行スタイルが変化する（自由旅行型へのシフト）
- 相次ぐテロ・戦争の台頭懸念

ここでもブレーンストーミングでアイディア出しをします。付箋と模造紙4枚を用意し、それぞれ「強み」「弱み」「チャンス」「脅威」というタイトルを書いておきます。

❶ 市場環境のチャンスと脅威を把握する

最初に会社が置かれている市場環境の変化を予測します。チャンスとなる市場環境の変化と、逆に脅威となる変化を予測し、付箋に書いていきます。具体的には、技術の進歩、対象市場の規模の変化、競合の動向、嗜好（しこう）の変化などに関連したものが中心となりますが、いろいろな側面から発想し、「△△が××であること」という具体的な表現を心がけてください。

また、このブレーンストーミングでは「なぜそう思ったか」という仮説を共有することが大切になるので、司会者（ファシリテーター）は必ずその点を確認しながら進めてください。付箋を使用する場合は、まずチャンスと脅威を洗い出すことに専念し、出尽くした後に一つ一つ確認するとよいでしょう。

❷ 自社の強みと弱みを把握する

まずは強みから書き出します。わが会社が競合他社よりも優れているのは会社が有する技術なのか、それとも社員のスキルやノウハウなのか、会社の信用あるいは顧客数やシェアなのか。

さまざまな側面から自社の強みを見つけ出して列挙してください。よく見かけるのは、一つか二つの強みが出ただけで手が止まってしまい、「ウチの会社は実は強みのない会社なんだ」というネガティブな雰囲気になってしまうことです。しかし、強みは積極的に見つけようとしないと見つからないものです。なぜなら強みがあるからこそ、お客様は競合他社ではなく、あなたの会社の製品を買ってくれているのです。

ここでも大切なのは、「なぜそう思ったか」という仮説を共有することです。もし各自で付箋に書き出す手が止まってしまったなら、やり方を変えます。誰かが司会者になり、メンバーが言ったことをどんどん付箋に書いて模造紙に貼っていきましょう。そうすることで、メンバーのやる気は触発され、イメージが膨らんで新しい強みが発見できます。ブレーンストーミングにはこのようなやり方もありますので、臨機応変にやってみてください。

同様に弱みについても分析します。

❸ 戦略の大枠をつくる

　自社の強みと弱み、そして環境のチャンスと脅威の分析ができたら、これらの材料をもとに戦略の大枠をつくります。

　図4-1と**図4-2**は、先ほどの大手旅行代理店の例です。この例に倣って、次のポイントに絞って考えていきます。

SWOTの実例（大手旅行代理店の例）　　図4-1

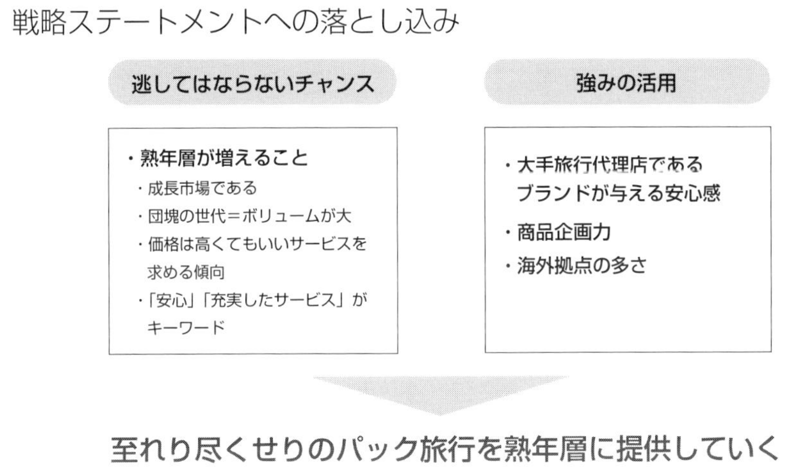

戦略ステートメントへの落とし込み

逃してはならないチャンス	強みの活用
・熟年層が増えること 　・成長市場である 　・団塊の世代＝ボリュームが大 　・価格は高くてもいいサービスを求める傾向 　・「安心」「充実したサービス」がキーワード	・大手旅行代理店であるブランドが与える安心感 ・商品企画力 ・海外拠点の多さ

↓

至れり尽くせりのパック旅行を熟年層に提供していく

SWOTの実例　　図4-2

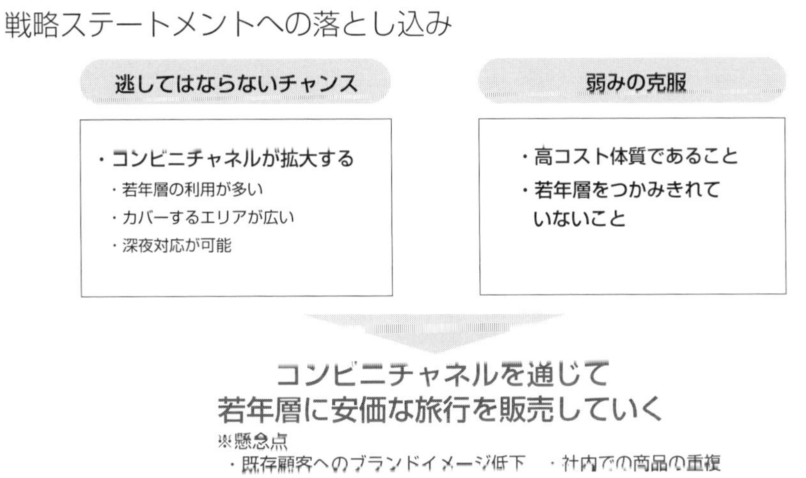

戦略ステートメントへの落とし込み

逃してはならないチャンス	弱みの克服
・コンビニチャネルが拡大する 　・若年層の利用が多い 　・カバーするエリアが広い 　・深夜対応が可能	・高コスト体質であること ・若年層をつかみきれていないこと

↓

コンビニチャネルを通じて
若年層に安価な旅行を販売していく

※懸念点
　・既存顧客へのブランドイメージ低下　　・社内での商品の重複

- チャンスを逃さないために、自社の強みをどう生かすのか。
- チャンスを逃さないために、自社の弱みをどう克服するか。

　順番としては、まず逃すべきではないチャンスを特定し、次にそのチャンスを逃さないためにはどうすればよいかを考えます。じっくりと時間をかけてディスカッションしてください。特に「どの市場に」ということを明確にするように心がけてください。「どの市場に、何を、どうやって売っていくのか」という文章で表現するのがよいでしょう。

　それができたら、最後にテストです。チームで次のことを自問しながら、バラツキがないように整理します。

- わが社は今後、どの市場に、何を、どうやって売っていくのか。
- なぜそう考えたのか。
- 経営理念との間に矛盾がなく、ビジョンを強く後押しする戦略になっているか。

　これで自社に軸足を置いた分析と戦略ができ上がりました。次に「顧客＝市場」に軸足を移します。

memo

4 戦う領域を決める

(1)「顧客＝市場」のフォーカス

　SWOT戦略によって、「誰に」「何を」「どうやって」提供していくのかが明確になったところで、次は「誰に」フォーカスを向けていくかをさらに分析し、最終的にこれから戦う領域を決定します。

(2) 顧客＝市場を分析する

　ここでの作業の目的は、自社の顧客は誰か、顔が浮かぶか、彼ら彼女らのニーズを言えるか、という問いに対する答えを明らかにすることです。

❶ 顧客＝市場をリストアップする

　大きな模造紙にテンプレート（図5）を書いておきます。そして次の質問をチーム内で自問してください。「われわれの現在の顧客は誰だろうか」「今後はどうあるべきか」というふうに。

ドメインリスト（テンプレート）　　　　　　　　　図5

顧客層	市場の規模 ◎○△	市場の発展性 ◎○△	顧客の KBF	満たすべき KSF	総合評価 難易度 ◎○△	戦う領域
(2)-❶	(2)-❷	(2)-❷	(2)-❸	(2)-❹	(3)-❶	(3)-❷

◎　○　△

その結果を、テンプレートに書いていきます。SWOT戦略の「どの市場に」を深掘りするイメージです。顧客の顔が見え、ニーズがわかるレベルまで深掘りします。個人の顧客層ばかりではなく、法人顧客層も忘れないようにリストアップしてください。

❷ 顧客＝市場を評価する

次に、今リストアップした顧客＝市場を評価します。ポイントは「規模」と「発展性」です。「大きな規模」「大いに発展性がある」は◎、「中規模」「まあ発展性がある」は○、「小規模」「現状維持または縮小」は△の印をテンプレートに記入します。ここでも「なぜそう考えたのか」の共有を忘れないようにしましょう。

❸ ターゲットとする顧客のニーズを特定する

各顧客＝市場のニーズを明らかにしていきます。ここでのポイントは、顕在化しているニーズをもとに潜在的なニーズを特定することです。

図6のように、あなたの会社がカメラの製造・販売している場合、エンドユーザー＝顧客は、お金を支払ってカメラを買います。これが顧客のウォンツ

顧客ニーズの分析ツリー　　　　　　　　　　　　　　図6

ウォンツから潜在ニーズへの深掘り

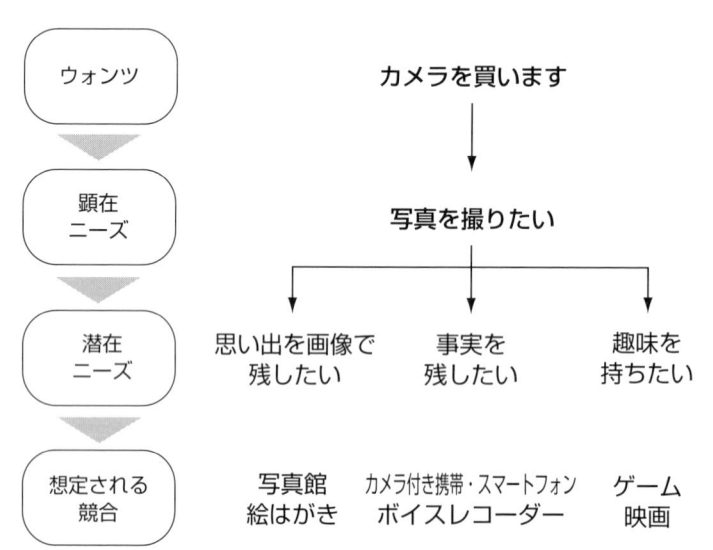

ウォンツ	カメラを買います
↓	↓
顕在ニーズ	写真を撮りたい
↓	↓
潜在ニーズ	思い出を画像で残したい ／ 事実を残したい ／ 趣味を持ちたい
↓	
想定される競合	写真館・絵はがき ／ カメラ付き携帯・スマートフォン・ボイスレコーダー ／ ゲーム・映画

(Wants) です。

　そこでさらに深掘りします。顧客はどんなニーズを満たすためにカメラを欲しいと思うのか、と考えてください。「写真を撮りたいから」というのは顕在ニーズです。では、なぜ「写真を撮りたい」と思うのでしょうか。ここでは時間をかけてその深層心理、潜在ニーズを洗い出します。「思い出を残したいから」「事実を残したいから」「趣味を持ちたいから」等々、いろいろなニーズがあるはずです。

　こうした潜在ニーズを特定することは、新たな競合の可能性を示唆するうえでも重要なことなのです。これをテンプレート上に書かれたすべての顧客＝市場に対して行い、KBFの欄に記入します。KBFとは、Key Buying Factorの略で、顧客が自社の製品・サービスを購入する潜在ニーズのことを言います。

❹ ニーズを満たすための成功条件を特定する

　次に、潜在ニーズを満たすためには何が必要なのかを明らかにします。つまり、顧客＝市場の潜在ニーズにがっちりと応えていくために、自社は何をしなければならないかという条件を見つけにいきます。これをKSF（Key Success Factor＝成功要因）と呼びます。

　「思い出を画像で残したい」という潜在ニーズに対しては、たとえば「美しい絵をはき出す画像処理エンジン」や「印象深い絵に加工するアルゴリズム」という成功要因が挙げられるかもしれません。

　また、「事実を残したい」という潜在ニーズに対しては、「高解像度の画像素子」、あるいは「素直な描写をするレンズ」などが成功要因となるかもしれません。

　「この要素を満たせば潜在ニーズ（KBF）を満たすことができる」というレベルで考えて、テンプレートに書いていきましょう。

(3) 総合的に評価し優先順位をつける

　潜在ニーズ（KBF）を満たすために自社が満たさなければならない成功要因（KSF）が明らかになったところで、すべてのKSFを満たすという戦略が現実的かどうかを検討します。なぜなら、すべてのKSFを満たすためには、新たな投資が必要になるかもしれませんし、社員を専属の担当として割り当てる必要があるかもしれないからです。

　そこで、通常はここで「選択と集中」という考え方を取り入れます。なんら

かの基準を持って戦う領域を評価し、優先順位をつけていくことですが、その基準となるのが「顧客＝市場の規模」「顧客＝市場の発展性」「KSFを満たす難易度」の三つです。

その中の「顧客＝市場の規模」と「顧客＝市場の発展性」の分析はすでに終えているので、ここではKSFを満たす難易度を基準に評価します。

❶ 難易度を評価する

KSFを満たす難易度が容易であれば◎、あまり難しくなければ〇、大きなチャレンジが必要であれば△を、テンプレートの難易度の欄に記入します。チームでよくディスカッションし、「なぜそう考えたのか」をしっかりと共有しながら進めてください。

❷ 戦う領域を決める

最後に戦う領域を決めます。つまり、選択と集中の意思決定です。テンプレートにすべての材料がそろっているので、それぞれの「顧客＝市場の規模」「顧客＝市場の発展性」「KSFを満たす難易度」をじっくり眺めてください。いずれも、戦略の基本となる部分ですから、あなたの会社がどの領域で戦うのがベストなのか、全員でしっかりとディスカッションしたうえで最終的な意思決定をしてください。

memo

5　競合と戦う戦略を決める

(1) 競争戦略づくりの考え方と手法

　自社の強み・弱み、そして市場環境に基づいた戦略、顧客＝市場の特定が完了したら、競合戦略を策定します。

　まず、あなたの会社が戦略的に顧客＝市場と決めた領域で商売をしている会社（競合）を調べます。おそらく、そこではあなたの会社一社だけではなく、他の会社も注目してなんらかの形で商売をしているはずです。あなたの会社のシェアはどのくらいなのか、競合他社と比べてあなたの会社の規模は大きいか小さいか、技術力やブランド力はどちらが優れているのか、まずそこを把握しておかなければなりません。

　戦略とは、戦う計画のことであり、相手に勝つための計画です。戦う相手のことを知らずして勝つことはできません。端的な例が価格戦略です。似たような商品を扱っている他社が、ある日、大幅に価格を下げたとしたらあなたはどうしますか。

　それが価格競争の実態です。あなたも追随して下げますか。しかし価格を下げて競争して利益がなくなったら元も子もありません。考えどころです。ここで大切になるのが競争戦略、つまり戦い方を決めることですが、いろいろな手法があります。ここではいちばんオーソドックスなコトラーの競争戦略をご紹介します。

(2) コトラーの競争戦略

　米国の経営学者であるフィリップ・コトラーは、個々の企業が置かれている業界の地位に着目し、四つのセグメンテーション（領域）に分類して、取るべき競争戦略を体系化しました。図7と図8をご覧ください。

❶ リーダー

　市場で最大のシェアを持っている企業は、価格の改定や新製品の投入に際して市場をリードする立場にあります。自動車で言えばトヨタ、ハンバーガーであればマクドナルドなどがこれに該当します。

　すでに最大のシェアを持っているので、市場全体が大きくなれば自ずと売上

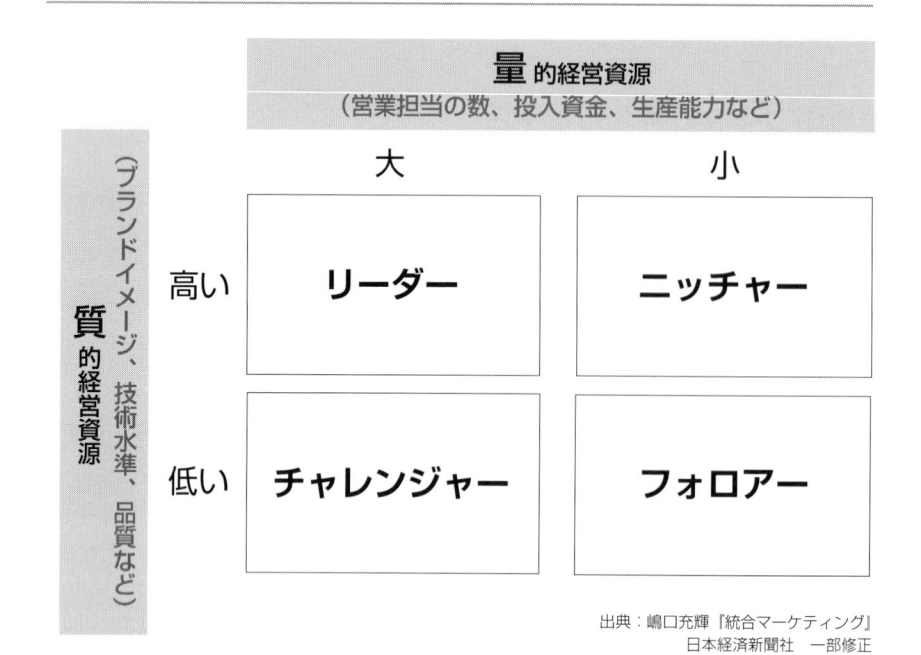

競争の基本戦略（コトラーの分類）　　　図7

量的経営資源
（営業担当の数、投入資金、生産能力など）

	大	小
高い	リーダー	ニッチャー
低い	チャレンジャー	フォロアー

質的経営資源
（ブランドイメージ、技術水準、品質など）

出典：嶋口充輝『統合マーケティング』
日本経済新聞社　一部修正

競争の定石　　　図8

	戦略課題	基本戦略方針	戦略定石
リーダー	・市場シェア ・利潤 ・名声	・全方位型戦略	・周辺需要拡大 ・同質化
チャレンジャー	・市場シェア	・対リーダー差別化	・上記リーダーが 　できないこと
フォロアー	・利潤	・模倣戦略	・リーダーと 　チャレンジャーの観察 ・迅速な模倣
ニッチャー	・利潤 ・名声	・製品・市場特定化戦略	・特定市場内で 　ミニリーダー戦略

出典：嶋口充輝『統合マーケティング』
日本経済新聞社　一部修正

げが拡大することになります。その意味で冒険する必要はありませんが、常に競争相手からシェア奪還の競争戦略を仕掛けられているので、競合の動きを敏感に察知し、防衛戦略を策定しておく必要があります。特に重要なのは価格戦略です。1998年から2005年にかけてのマクドナルドの混迷は、市場のリーダーとして取るべき価格戦略を誤った典型例でした。

❷ チャレンジャー

　市場での地位が2、3位の企業は、規模は大きく、技術水準などの質的経営資源はリーダーに劣るとはいえ、多くの場合肉薄しています。自動車で言えば日産やホンダが、ハンバーガーであればロッテリアがこれに該当します。

　チャレンジャーの目標はシェアの向上ですから、リーダーに対する差別化を目指すことが競争戦略のポイントになります。以前、日産が「技術の日産」と直接的に自社の立場をアピールしていたのは記憶に新しいことです。一方、下位の企業に対しては、規模にものを言わせた戦略、たとえば価格戦略などで優位性を発揮していくべきとされています。

❸ ニッチャー

　経営資源の規模は小さくても、質の高い技術や製品で勝負できる企業は、ある特定の分野、市場で卓越した競争力を発揮します。自動車で言えばスズキ、ハンバーガーであればモスバーガーがこれに該当します。

　ニッチャーの目標は、特定市場におけるリーダー的存在になることですので、自分しかできない強みを存分に発揮する戦略でその市場のトップを維持し、高収益を追求することになります。

❹ フォロアー

　経営資源の量、質ともに低い企業は、競争優位性もなく、市場のシェアも低いので、生存していくために安定した利益の確保が目標となります。

　この企業の取るべき戦略は模倣です。リーダーやチャレンジャーの動向に着目し、なるべく早くまねをすることが重要になります。ジェネリック医薬品メーカーがこれに該当します。

(3) 競争戦略を策定する

　次に、あなたの会社の取るべき競争戦略を策定しましょう。ここでのポイン

トは、特定の領域における競合企業を明らかにして、その企業と自社を比較して取るべき競争戦略を決めていくことです。

❶ 競合を特定する

まずチーム内で「われわれの競合は誰だろうか」と、自問することから始めます。ホワイトボードに、**図9**のテンプレートを用意し、考え得る企業名を書いていきます。個人市場と法人市場に分かれるようであれば、テンプレートをそのように書いておきます。

この際に参考となるのが、顧客＝市場のニーズ分析で特定した潜在ニーズ（KBF）です。ニーズという視点で眺めると、思いもかけない競合の姿が見えてくることもあります。彼らが進出してくる前に先手を打っておけば、いざというときに慌てることもありませんし、進出を断念させることもできるかもしれません。

ある大手インターネット販売会社のお客様コールセンターでは、競合を大手家電量販店の店員であると位置づけています。商品に詳しく、なんでも相談に乗ってもらえるという安心感を、オペレーターが提供することを目指しているのです。

これまでの常識にとらわれていると、生まれてこない発想です。

競争戦略（テンプレート1）　　　　　　　　　　　図9

KBF	競合名	自社より優れている点	自社が優れている点

❷ 競合を評価する

次に自社と競合を比べて、どこが優れていて、どこが劣っているのか比較します。具体的に、シェアはどうか、顧客数はどうか、規模はどうか、ブランド力はどうかなど、そのデータを列挙し、いろいろな側面からブレーンストーミングします。ここでも「なぜそう考えたのか」を共有し、チームで議論することが大切になります。

❸ 取るべき戦略タイプを決める

競争相手の名前と、あなたの会社が優れている点、劣っている点など、テンプレートにすべての評価を網羅したら、これらを材料にしてあなたの会社がコトラーの分類上のどのタイプを競争戦略として選択すべきかを決めます。あなたの会社のシェアや技術力を考えながら、チーム内で活発にディスカッションすることで、自社のポジショニングと進むべき方向が見えてくるはずです。

ここで大事なのは、経営理念との間に矛盾がなく、ビジョンを強く後押しする戦略であるかどうかを念頭に置いた議論です。重要な意思決定につながる戦略決定ですから、十分に時間をかけましょう。そして、最終的に決めた戦略タイプを**図10**のテンプレートに記入します。

競争戦略（テンプレート2）　　　　　　　　　　　　　図10

自社が取るべき
戦略タイプは　　_____

具体的な
戦略ステートメントは　_____
　　　　　　　　　_____
　　　　　　　　　_____
　　　　　　　　　_____
　　　　　　　　　_____
　　　　　　　　　_____

❹ 戦略ステートメントに落とし込む

　競争戦略が決まったら文章化します。文体の決まりはありませんが、これまでの作業との一貫性を保つために、次のように考えるとよいでしょう。

- わが社の顧客＝市場は△△である。
- この市場には□□という競合がいる。
- わが社は彼らに対して××という戦略を取る。
- 具体的には……。

　この作業も重要です。じっくり取り組んでください。
　こうして、経営戦略と経営ビジョンを策定し、自社と市場環境の分析を行い、大枠の戦略が決まり、戦う領域や戦い方が決定したら、次は各部門の役割を決める作業に取りかかります。

memo

6　部門の役割を決める

(1) 実例に学ぶ

　会社全体の戦略ができたら、それを実現するために会社の業務がどう流れるべきかを考え、最終的に部門が果たすべき役割を明らかにします。会社の目標達成の基礎となるものですから、具体的な戦術に落とし込むことが欠かせません。

　まず、実例をご覧ください。**図11-1**は、会社の主要な機能を業務の流れ図にしたものです。商品の企画から、お客様に製品やサービスをお届けするまでの価値の連鎖を表したもので、バリューチェーンと呼ばれています。

　簡単に表現すれば、利益を生み出す業務の流れ図のことです。たとえば100円で仕入れた物をお客様に200円で買っていただくための付加価値づけの活動プロセスを示しています。

バリューチェーン（一般製造業の例）　　　　　図11-1

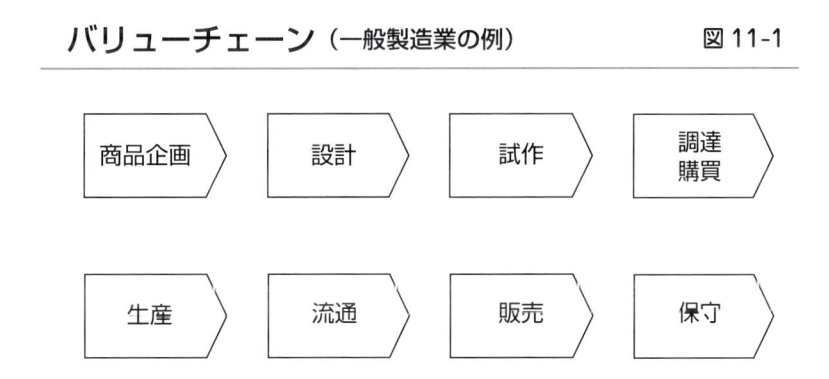

商品企画 → 設計 → 試作 → 調達購買

生産 → 流通 → 販売 → 保守

　図11-2の例は、若者向けのアパレルメーカー、ベネトン社のバリューチェーンです。

　一つのアイテムで多彩な色の品揃えを提供することが同社の特徴なのですが、色の流行を事前に把握することが難しいと判断した彼らは、店頭でのお客様の反応を見てから追加生産する色を決めるという流れに業務プロセスを変えたのです。従来は染色した毛糸を編み上げていく行程でしたが、これでは色の予想が外れると糸が無駄になるばかりでなく、製造から出荷までに時間がかかりすぎ、ビジネスチャンスを逃してしまいます。そこで、未染色の糸でセー

バリューチェーン改善（ベネトンの例）　　　図 11-2

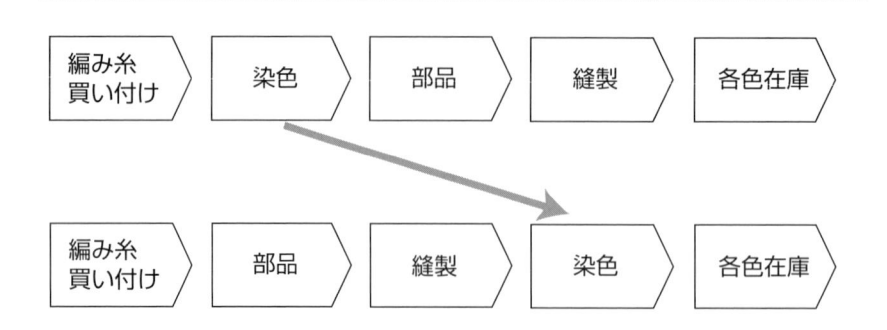

編み糸買い付け ＞ 染色 ＞ 部品 ＞ 縫製 ＞ 各色在庫

編み糸買い付け ＞ 部品 ＞ 縫製 ＞ 染色 ＞ 各色在庫

ターを編んでおき、染色工程を後に持ってくることで、在庫のリスクを最小限にとどめつつ、常時全色展示を可能としたのです。

このような業務プロセスの再構築を実現した事例はとても参考になります。ベネトン社の製品に対する主たる潜在ニーズ（KBF）は「いつでも全色のアイテムを実際に見たい」であり、これに対応する成功要因（KSF）は「常時全色展示を実現する業務プロセスと染色技術」です。さらにそれを受けて、「在庫リスクを最小限に抑えながら、オーダーから納品までを業界No.1の速さにする」という競争戦略が策定されたと考えることができます。

この例に学んで、あなたの会社の業務流れ図を見ていきましょう。

(2) 業務流れ図で現状を表現する

ホワイトボードに上流から下流までの業務の流れを書いていきます。**図11-3〜11-7**まで、さまざまな業界の例を掲載していますので、参考にしてください。

図には主たる事業活動しか掲載していませんが、一般には、主たる事業活動のほかに支援活動も記載します。支援活動というのは、人事労務管理や研究開発などの間接部門の活動を指します。

また、各業務をさらに一段階掘り下げることも可能です。たとえば、販売＝見積もり→受注→梱包→配送というような業務の流れ図です。その場合でも、各ボックスのレベル感に大きな開きがないように心がけてください。業務の流れがボックスで表現できたら、その業務を担当している部門名、所属人数、年間予算を記入してください。

現状把握の作業はここまでで完了です。

食料品製造業の例　　図 11-3

商品企画 → 原材料調達 → 加工製造 → 流通 → 販売

医薬品製造業の例　　図 11-4

研究開発 → 試作 → 臨床 → 承認申請 → 許可

製造 → 出荷 → 流通 → 販売

建設業の例　　図 11-5

企画 → 営業 → 設計 → 見積もり → 受注

資材調達 → 施工 → 引き渡し → 保守

小売業の例　　図 11-6

商品企画 → 仕入れ → 店舗運営 → 集客 → 販売

サービス

不動産業の例　　図 11-7

情報収集 → 物件調査 → 価格査定 → 営業 → 売買仲介契約

引き渡し → サービス

77

(3) 業務組織流れ図で今後を表現する

次に新しい業務流れ図をつくります。模造紙を何枚かつなげて壁に貼っておきます。ここでの最終的な成果物は、**図12**のようになります。

新バリューチェーンと組織マップ（テンプレート）　　図12

新しい部門（組織）プランです

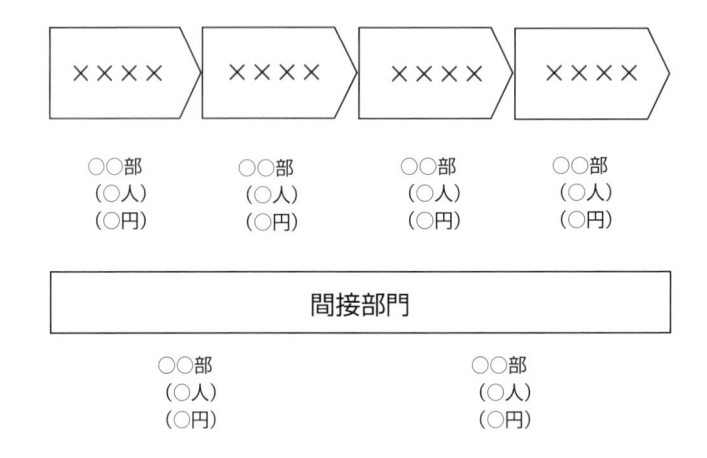

```
┌────┐ ┌────┐ ┌────┐ ┌────┐
│××××│▶│××××│▶│××××│▶│××××│▶
└────┘ └────┘ └────┘ └────┘
 ○○部   ○○部   ○○部   ○○部
 （○人） （○人） （○人） （○人）
 （○円） （○円） （○円） （○円）
```

```
┌──────────────────────────┐
│         間接部門          │
└──────────────────────────┘
    ○○部           ○○部
   （○人）        （○人）
   （○円）        （○円）
```

❶ 業務の流れをつくる

ここではまず何を満たすような業務流れ図をつくるべきか、はっきりさせておかなければなりません。先ほどのベネトン社の事例を思い出してください。

ベネトン社では、「常時全色展示を実現する業務プロセスと染色技術」という成功要因（KSF）を満たすように業務の流れを変えました。具体的には、染色の工程を後に持っていきました。

それと同じように自社の成功要因（KSF）をどのようにして満たしていくのか考えることを最優先してください。ヒントとなる原則は以下のとおりです。

・品質面
　　品質のバラツキをなくす。製造のリードタイムを短くする。
　　社員教育を忘れない。IT技術を活用する。

・コスト面
　　類似業務を共通化する。IT化（自動化）する。簡素化する。
　　アウトソース（外部に業務委託）する。

　何をどう改革するかが決まったら、模造紙に新しい流れ図を書きます。ここでも、経営理念との間に矛盾がなく、ビジョンを強く後押しする改革になるかどうかの確認が欠かせません。

❷ 部門（組織）を当てはめる

　業務の流れが再構築できたら、次にそれに対応する組織をつくります。ここではゼロベースで、新しく組織を考えてみましょう。部門の名称は後で考えるとして、まずは機能をそのまま部門名としておきます。たとえば、販売業務であれば、「販売部」のように。

　ただ、現在の組織に営業部が二つあるからと言って、意味もなく「販売一部、販売二部」などとしないようにしましょう。せっかく機能の共有を目的として効率化が図れそうな流れ図をつくったのに、全く無駄になってしまいます。また、ともすれば部門長の固有名詞が浮かんできて、営業部長が2人いるから組織も二ついるという発想になりがちですが、これも禁物です。ここまで積み上げてきた戦略論理の一貫性がなくなってしまうからです。組織デザインと人事は切り離して考えることが肝要です。

　決めた部門名は付箋に書いて、該当する業務の箱（ ▱ ）の中に貼ります。

❸ リソースを配分する

　次に考えなければならないのが、リソース（資源）の配分です。ここでのリソースとは人員と予算のことです。

　改善前と改善後の業務流れ図をよく比較してみてください。どのような戦略を実行するために業務の流れを改善したのでしょうか。どのKSFを実現するために新しい業務流れ図をつくったのでしょうか。その点についてチームで自問、再確認し、改善後の各業務の人員数と予算を考えてください。手元に過去3年分の予算実績表などのデータを用意し、それをもとに活発なディスカッションをします。その要点も付箋に書いて、該当する業務の箱に貼ります。

　最終的には**図12**のように表現されます。なお、直接付加価値を生まない間接部門は下段に書きます。

(4) 部門の役割（＝責任）を明らかにする

❶ 役割を決める

　新しく決めた業務流れ図とそれに対応する部門を決め、その部門の果たすべき役割を具体的に示します。きれいなミッションステートメントにする必要はありません。大切な事柄が抜けないように網羅することを心がけてください。

　先ほどのベネトン社の例でいくと、染色部の役割は、「各店舗から指定された色を、指定された期日までに指定量だけ染色し、迅速に出荷すること」と表現できます。また、各店舗の役割は、「顧客のニーズを正確かつ迅速に把握し、迅速にオーダーすること。常に欠品がないようにするとともに、在庫を△△以内におさえる」と表現されるでしょう。

　その部門が何を、どんな役割を全うすれば成功要因（KSF）を達成できるのか、チーム内で自問しながら決めていきます。最終的には、**図13**のテンプレートに記入します。

ミッションリスト（テンプレート）　　　図13

部門のミッションを表現します

○○部	
○○部	
○○部	
○○部	

❷ 漏れと重複をなくす

　ひと通り完成したら念のため最後のチェックをしましょう。今度は逆説的に考えます。KSFが達成できないとしたら何が原因となるのか、それをチームで自問し、ブレーンストーミングします。もし新たな発見があったら、それを部門の役割に反映させます。稀(まれ)に複数の部門で役割の重複が発見されることもあります。その場合には放置せずに、必ず一方を抹消します。

　このようにして漏れも重複もなくなることで部門の役割が明確になり、ミッションステートメントの素材ができ上がります。

memo

7 論理の一貫性を確認する

(1) 理屈の共有

これまで、会社の理念づくりから始まって、ビジョンを達成するための部門の役割までを解説してきました。個々のパートがそれぞれ重要で、深いディスカッションを必要とするものであることがおわかりいただけたと思います。

最後に残されたことは、もう一度、成果物の確認をすることです。ポイントは、論理の一貫性があるか、矛盾やあいまいな点はないかという点です。会社の重要な将来を決める戦略ですから、念には念を入れましょう。

まず、戦略の論理に一貫性があるかどうか、これまでの成果物を順に辿っていきながらチェックします。グループで「なぜそう考えたのか」を自問し、次の要領で、全員で共有しながら振り返ります。

- わが社の経営理念は△△である。社員全員がこの理念のもとに行動する。
- わが社の目指すべき姿は□□である。このビジョンの実現のために全員が行動する。
- このビジョン実現のための戦略はaa、bb、ccである。
  なぜそう考えたのかと言うと××だからである。
- わが社の戦う領域、つまり、市場・顧客はdd。KBFはee。
  KSFはffである。
- その領域での競合は◎◎であり、わが社が◎◎に対して取るべき戦略はaaである。
- この戦略を支えるべき社内の業務体制と流れは▲▲である。

(2) ステークホルダーへの発信

メンバーがより明確に認識するためにも、最後に再びエレベーター・スピーチを行うことをお勧めします。役員、幹部社員にとっては、今後、社員、株主、お客様へのコミュニケーションをする際に欠かせないものとなるので、発信者によってバラツキがないようにするためにも、エレベーター・スピーチで発信内容を統一しておくことはたいへん有効になります。やり方は58〜59ページで説明した方法と同じです。

第4章
目標達成と部下育成のための
リーダーシップ。

3章でつくり上げたビジョン達成のための戦略を何年間で実行するかは、企業の置かれた状況や戦略実行の難易度等によって異なります。通常は3年程度先までの目標数値と戦略を中期経営計画とし、さらにそれを単年度の目標数値と戦略に落とし込んだものを「XX年度経営計画」として策定します。本章では、作成された経営計画をいかに実行し、達成に導くか、同時に、その過程においていかに部下を育成・評価していくかを考えます。

第4章のポイント

1. 経営と個人の目標達成のサイクルをいかに連携させるかを考える
2. 目標設定のポイントは「SMART」の原則を心がけて
3. 目標達成に向けた日常業務の問題解決は、GAPの認識から始めよ
4. 問題点は「漏れなく、ダブりなく」抽出すること
5. 問題点の解決は、原因を究明してから解決策、行動に移すべし
6. 洗い出された問題点はワークアウトで解決を
7. ワークアウトで身につく、さまざまなリーダーシップスキル
8. 目標達成と部下育成は別物ではなく、完全にリンクするもの
9. コーチングとは、部下の自発性を引き出す行為
10. コーチングに必要なコミュニケーションスキルを身につけよう
11. 社員への評価に対する、社員・会社の認識のズレを確認すべし
12. リーダーは一人ひとりの評価に対する不満原因を的確に知ろう
13. リーダーは公平で公正な評価を実現し、その責任に自信を持て

1 目標を達成する

(1) 目標達成のステップを知る

　図14のように、企業が達成すべき経営の目標は、まず部門の目標へと落とし込まれ、部門の目標は最終的には個人の目標へと落とし込まれなければなりません。逆に言うと、社員一人ひとりが目標を100パーセント達成すれば、その部門は目標を100パーセント達成することになり、すべての部門が目標を100パーセント達成すれば、その集大成として会社は目標を達成できます。この一気通貫の理屈を忘れないことが大切です。

(2) 経営サイクルと目標管理の関係を知る

　次に、経営の目標達成のサイクルと個人の目標達成のサイクルをどのように連携させるべきかを考えます。図15は、ある中堅のメーカーの事例です。

この会社の事業年度は４月から３月までですから、３月に年度目標と年度戦略が策定され、４月に部門長からマネジャーに対して各課・各チームのミッションと目標が伝達されます。

　マネジャーはメンバーに対して各自に期待するミッションと目標を伝え、それを受けてメンバーが自分の年間目標と目標達成の手立てを策定します。むろん、マネジャーも一社員として自分の年間目標を策定します。

　ここで大切なことが二つあります。

目標達成のステップ　　　　　　　　　　　　　図14

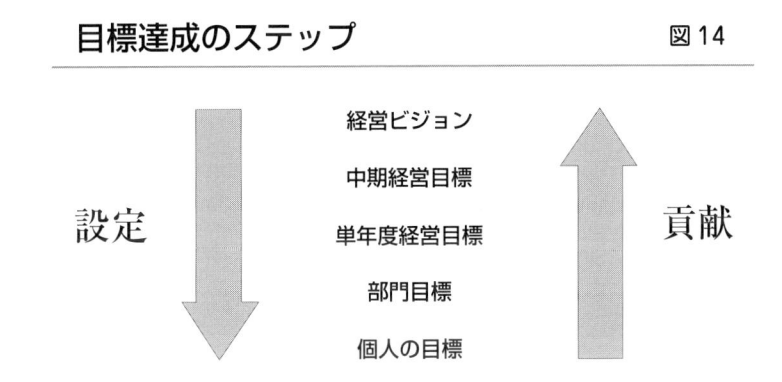

設定 → 経営ビジョン／中期経営目標／単年度経営目標／部門目標／個人の目標 ← 貢献

経営サイクルと目標管理　　　　　　　　　　　図15

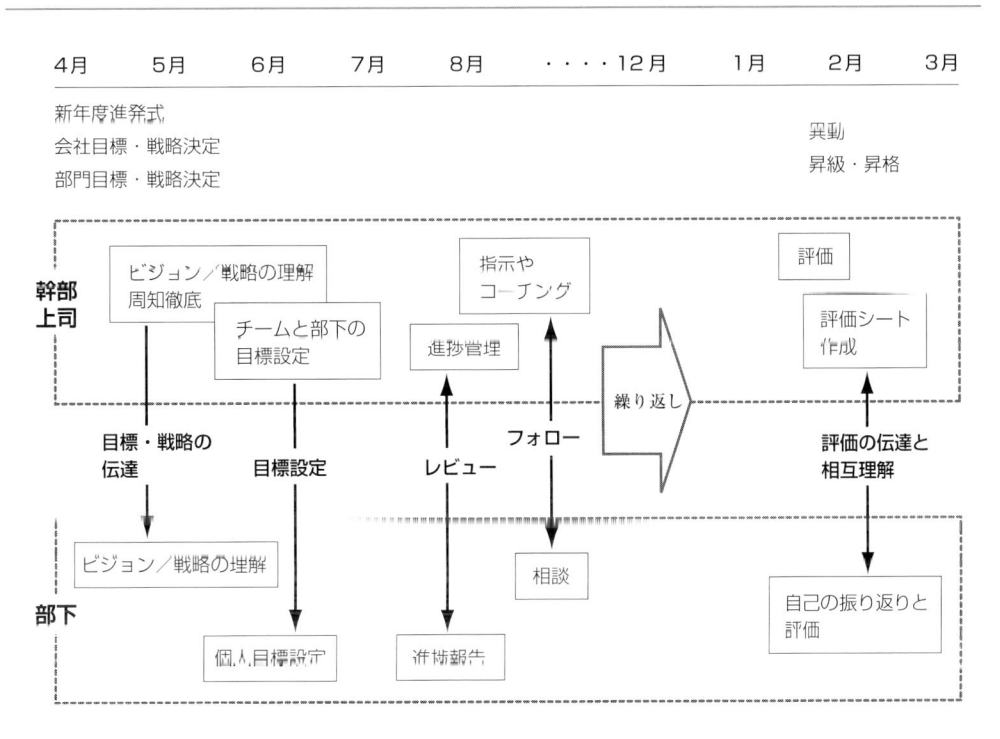

４月　５月　６月　７月　８月　‥‥12月　１月　２月　３月

新年度進発式
会社目標・戦略決定
部門目標・戦略決定

異動
昇級・昇格

幹部上司：
- ビジョン／戦略の理解 周知徹底
- チームと部下の目標設定
- 指示やコーチング
- 進捗管理
- 評価
- 評価シート作成
- 繰り返し

目標・戦略の伝達　目標設定　レビュー　フォロー　評価の伝達と相互理解

部下：
- ビジョン／戦略の理解
- 個人目標設定
- 進捗報告
- 相談
- 自己の振り返りと評価

第一点は、目標を記入すべきテンプレートを用意することです。通常は、「目標管理シート」等の名称で、人事部門がテンプレートを用意します。年度末の評価にも使用するので、少なくとも以下を盛り込んでおく必要があります。

- 部門と自分のミッション（役割）
- 業務ごとの目標
- 目標値
- 達成の手立て（戦略）
- 業務ごとのウエイト（重要度）
- 自己評価欄と上司評価欄（年度末用）

　第二点は、上司と本人との合意です。たっぷりと面談の時間を割いて、互いに十分に納得のうえ、合意して最終的な目標を決めます。ここが疎かになると、社員は、その後年間を通じて納得感のないままに仕事をすることになるため、当然のことながら、期待する成果への懸念が生じます。

　新たな目標のもとにスタートした新年度の業務は、年間を通じて実行され、最終的には年度末にその評価がなされます。ここで大切なのは、年度末の結果よりも期中の業務の進捗管理です。**図15**にあるように、部下の進捗について上司は適宜確認し、フォローをする必要があります。報告・連絡・相談を促し、その都度適正な指示やアドバイスを行うことです。いわゆるコーチングという部下育成の方法で、これについては後ほど詳しく解説します。

(3) 目標設定のポイントを知る

　部門の目標であれ、個人の目標であれ、極端に非現実的で到達し得ない事柄を掲げては意味がありません。たとえば、万年最下位のプロ野球球団の新しい監督が、いきなり「来年度は優勝する」という目標を掲げるのは、相当にハードルが高いと言わざるを得ません。もちろん、全く実現不可能ではありませんが、相当のお金をつぎ込んで選手を補強するなどの大胆な戦略が必要になるでしょう。

　他にもいくつかのポイントがあるので、目標の設定にあたっては次に掲げる「SMARTの原則」を心がけることをお勧めします。

S＝Specific ／具体的であること
　M＝Measurable ／測定可能であること
　A＝Attainable ／現実的であることを
　R＝Result Oriented ／結果に重点を置いて
　T＝Time bound ／期限を決めて

　これを意識するだけで、相当にしっかりしたゴールが見えてくるはずです。

(4) 目標を達成するための打ち手を知る

　日々の業務は問題解決の連続です。目標達成に向けた日常の業務の問題解決はその落差（GAP）を認識するところから始まります。

❶ GAPを認識する

　日常業務の問題を解決していくことは目標達成に直結します。そして、日常業務の問題には二つのパターンがあります。
　一つめは、あるべき姿（その時点での目標）まで到達していない、マイナスのGAPのことです。

目標達成に向けた問題解決　　図16

まずは GAP を認識する

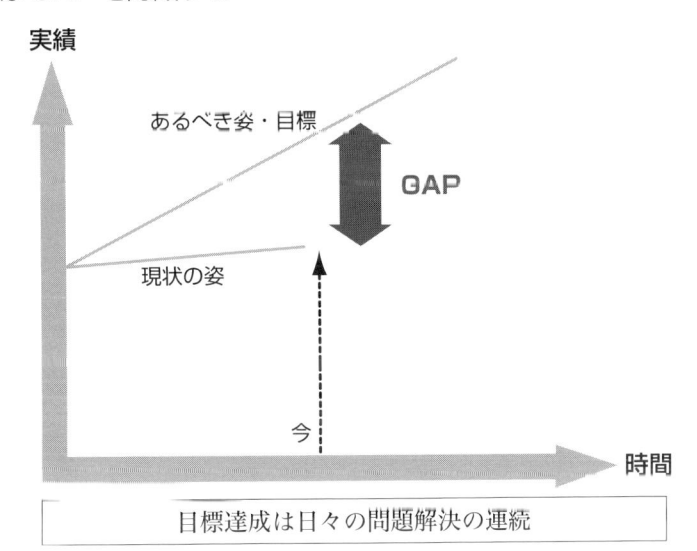

目標達成は日々の問題解決の連続

二つめは、あるべき姿（その時点での目標）をクリアしているので、一見なんのGAPもない状況です。

前者の場合は、GAPが見えているので問題解決に入りやすいのですが、後者の場合は逆に難しくなります。優れた部門長は、ここであえて現状に満足せずに新たにGAPを発生させるのです。なんの問題もないものとして、これまでの業務のやり方を継続していくやり方に刺激を与えます。つまりあえて目標を高め、意識的に現状との間にGAPを発生させるのです。こうすることで、計画を上回る成長を遂げることを意図します。

図16に示されているように、日常の業務の問題の第一歩はGAPの認識から始まります。

❷ GAPを表現する

次は認識したGAPを問題として表現します。

たとえば「オールスター前に首位と3ゲーム差以内でAクラスを維持する」という期中の目標を掲げたプロ野球球団があったとします。しかし、オールスター前の今、首位とは6ゲーム差の5位に低迷していた場合、現時点でのGAPは「目標よりも3ゲーム下回っていること」であり、「4位のA球団と3位のB球団よりも下位にいること」です。このGAPを問題として表現すると、次のようになります。

・先発投手の平均自責点が4点であり、目標の2点を達成していないこと。
・先発投手の平均投球回数が5回であり、目標の7回に達していないこと。
・クリーンアップの平均打率が2割4分であり、
　目標の2割6分に達していないこと。
・故障者が多く、安定した打順が組めないこと。
・エラー数が1試合平均3個出ていること。
・盗塁阻止率が5割で、リーグワーストであること。

ポイントは、「何が原因か？」を考えながら「どんな客観的要因があるのか？」を自問して問題点を抽出することです。

2-1 「漏れなく、ダブりなく」── MECEツールの活用

ここで重要なことは、「漏れなく、ダブりなく」抽出することです。図17に示すように、実際のビジネスの世界で問題点の抽出に漏れがあった場合、

MECE とは？

「漏れなく、ダブりもない」こと
(Mutually Exclusive and Collectively Exhaustive)　図17

- ビジネスにおける問題発見、問題解決を行ううえで非常に重要

- もし問題発見の段階で漏れがあれば……
    - 重要な販売チャネルやターゲットの見落としによる機会損失
    - 最初のインプットから最後のアウトプットまでの見落としで、納期の遅延

- もしダブりがあれば……
    - 複数の営業担当者が同一顧客にアプローチ
    - 同じような商品を開発

こんな感じ……
↓

| 漏れもなくダブりもない | 漏れがなくダブりがある | 漏れがありダブりがない | 漏れがありダブりもある |

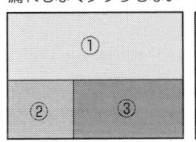

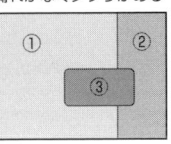

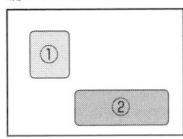

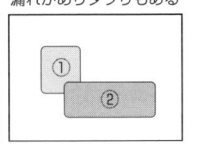

重要な販売チャネルやターゲットの見落としによる機会損失が考えられます。また、原因の見落としによる品質の低下が考えられます。そして、抽出された問題点にダブりがあると、複数の営業担当者が同一顧客にアプローチするという無駄を発生させたり、複数の事業部で似たような商品を開発してしまったりする可能性があります。

一般的に、「漏れ」は売上機会損失、顧客満足度低下、コストアップ等、品質とコストにマイナスに影響する原因となり、「ダブり」は無駄なプロセスを生み、納期遅れを招き、結果としてコストの増加や顧客満足度低下につながることが多くなります。

ビジネスの現場では、物事の「漏れ」と「ダブり」をなくすための便利なMECE（ミーシー）ツールが開発されています。MECEとは、Mutually Exclusive and Collectively Exhaustive（相互に重なりなく、全部集めたら漏れがない）の略です。簡単に言うと、ある事象を見たときに「漏れ」なく「ダブり」なしの部分集合の事象として考えろということです。

GAPの要因となる業務の流れをMECEでとらえる「プロセスマップ」

「プロセスマップ」は、たとえば、注文受け→仕入れ→製造→梱包→荷積み→輸送→手渡しといった業務の流れを文字どおり図で表したものです。バリューチェーンと似ていますが、バリューチェーンが最も上位のプロセスだ

領収証精算の現状プロセスは？　　　図18

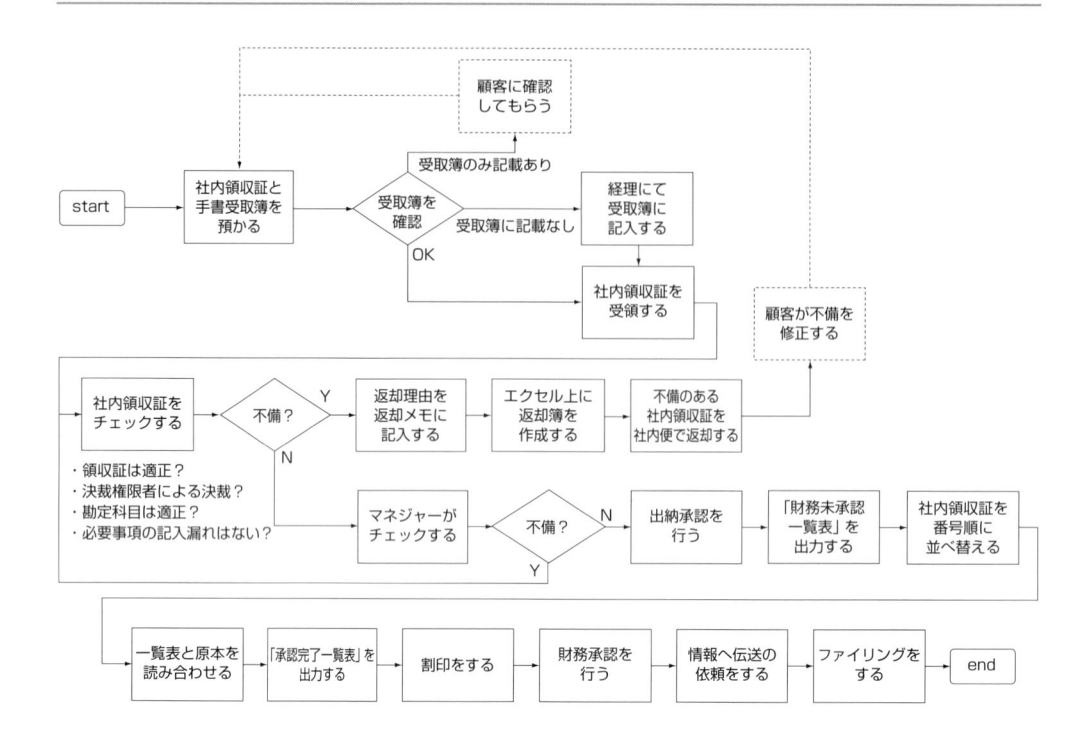

とすれば、それぞれの機能を一段掘り下げたものがプロセスマップであると言えます。

それぞれの項目はより詳細なプロセスマップで描くことができます。**図18**の例はある会社の経理部の領収証精算のプロセスマップで、かなり細かい部分まで可視化されています。

この業務の流れを MECE でとらえるプロセスマップは、GAP の種類を問わず非常に幅広く使われます。

2-3 GAP の要因を機能 MECE でとらえる「4M1E2C」

「4M1E2C」（**図19**）とは、人（Man）、製品や情報（Material）、やり方（Method）、機械や設備（Machine）、環境（Environment）、縦と横のコミュニケーション（Communication）のことを言います。製品の品質問題の要因洗い出しによく使われる「5M1E」を、より広くさまざまな問題に対処できるようにアレンジしたものです。

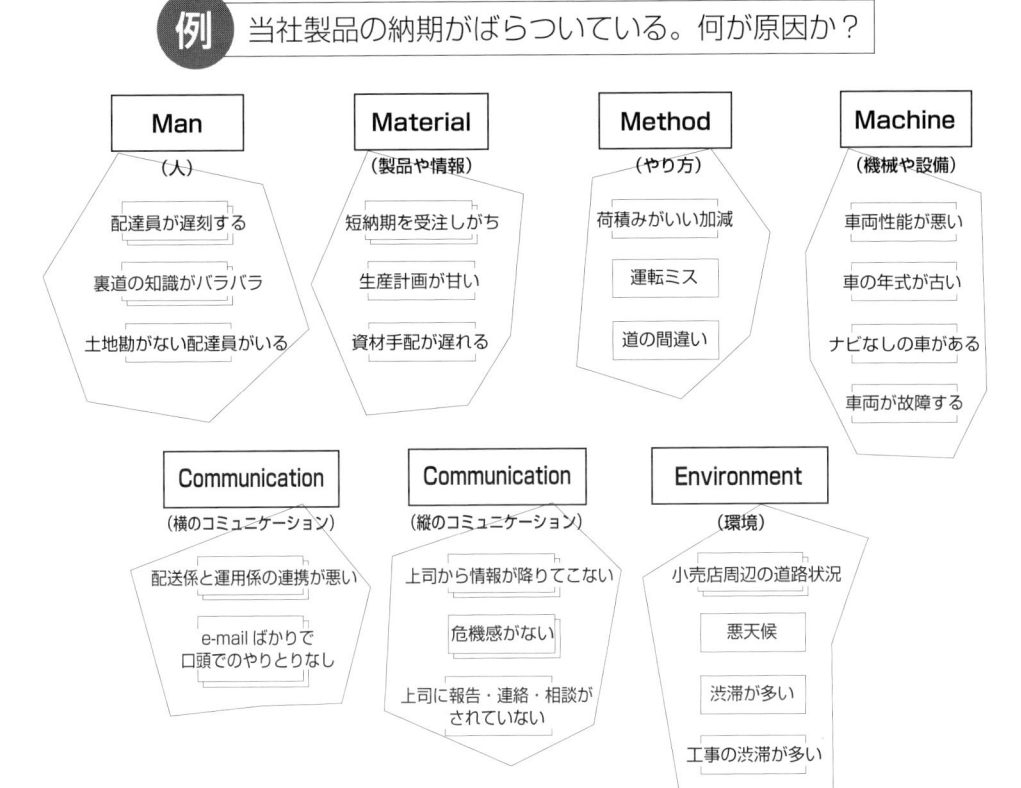

4M1E2C 例 図19

例 当社製品の納期がばらついている。何が原因か？

Man (人)
- 配達員が遅刻する
- 裏道の知識がバラバラ
- 土地勘がない配達員がいる

Material (製品や情報)
- 短納期を受注しがち
- 生産計画が甘い
- 資材手配が遅れる

Method (やり方)
- 荷積みがいい加減
- 運転ミス
- 道の間違い

Machine (機械や設備)
- 車両性能が悪い
- 車の年式が古い
- ナビなしの車がある
- 車両が故障する

Communication (横のコミュニケーション)
- 配送係と運用係の連携が悪い
- e-mailばかりで口頭でのやりとりなし

Communication (縦のコミュニケーション)
- 上司から情報が降りてこない
- 危機感がない
- 上司に報告・連絡・相談がされていない

Environment (環境)
- 小売店周辺の道路状況
- 悪天候
- 渋滞が多い
- 工事の渋滞が多い
- 慢性渋滞がある

4P 例 図20

- **Product**
（商品・サービス政策）
- **Price**
（価格政策）
- **Place**
（流通政策）
- **Promotion**
（プロモーション政策）

2-4 GAPの要因をマーケティングMECEでとらえる「4P」

「4P」(図20)とは商品やサービス(Product)政策、価格(Price)政策、流通(Place)政策、プロモーション(Promotion)政策の略で、自社にとって望ましい反応を市場から引き出すために活用します。マーケティング戦略を立てる際に忘れてはならない要素ですが、問題のありかを探る際にも使えます。

この4Pは売り手側の視点ですが、顧客側の視点からは、次のように言い換えることができます。売上低迷等の分析の際には、こちらの観点で考えるほうが理にかなっているかもしれません。

[商品やサービス]→[消費者のニーズやKBF]
[価格]→[顧客コスト]
[流通]→[利便性]
[プロモーション]→[コミュニケーション]

2-5 戦略立案ツールをMECEで活用する「3C」

GAPの大きさや種類によっては要因分析にも使えます。

「3C」(図21)とは市場・顧客(Customer)、競合(Competitor)、自社(Company)の略で、自社の戦略を立てる際の分析に使います。

《Customer=市場分析》

自社の製品やサービスを購買する意思や能力のある潜在顧客を把握します。具体的には、「市場規模と成長性はどうか」「ターゲット顧客の購買意思決定プロセスはどうなっているのか」「KBF、KSFは何か」という視点から分析します。

《Competitor=競合分析》

自社が事業を展開する市場における競合を把握します。具体的には、「自社と競合の事業構造(バリューチェーン)はどう違うか」「市場におけるKSFを自社と競合はどの程度満たしているのか」「自社と競合の強みと弱みの違いはどこにあるのか」という視点から分析します。

《Company=自社分析》

自社の経営資源について把握します。具体的には、「自社の市場シェア、売上高、利益の推移はどうか」「技術力や人的資源、ブランドイメージ等から見た強みと弱みは何か」「顧客への価値を生み出す事業の仕組みの特徴(バリューチェーン)は何か」という視点から分析します。

3C 例　　　　　　　　　　　　　　　　　　　　図21

Customer（顧客）
- セグメント　　＝ 市場はどうセグメントされるのか？
- ニーズ　　　　＝ 各セグメントの購買決定要因は何か？
- 消費者行動　　＝ ユーザーの意思決定プロセスはどうなっているのか？
- 意思決定者　　＝ 誰が購買の意思決定に影響を及ぼしているのか？

Competitor（競合）
- 他社　　　　　＝ そもそも誰が競合相手か？
- 競争力　　　　＝ 各社の業績／財務体力／技術力／シェア／生産力は？
- 参入難易度　　＝ 新規参入の恐れはあるか？　参入を防げるか？
- 顧客評価　　　＝ 各社の顧客からの評価は？

Company（自社）
- 事業経済性　　＝ どの事業が本当に儲かっているか？
- ブランドイメージ＝ 自社／自社商品はどう評価されているか？
- 技術力　　　　＝ 自社のコア技術とは？　足りない技術は？
- 販売力　　　　＝ 最適な販売チャネルを構築できるか？
- 内部体制　　　＝ 意思決定システム、評価制度、人材育成、ITなどは？

４つの顧客（ステークホルダー）例　　図22

　　　顧客　　　　　　　株主

　　　　　　　会社

　　　社会　　　　　　　社員

　ちなみに、前章で説明した戦略づくりは、３Ｃの考え方を活用しているということがおわかりいただけると思います。

2-6　バリューチェーン

　自社のすべての活動・機能が、最終的な価値にどのように貢献するのかを、体系的かつ総合的に検討する際に使用します。詳細については前章で、部門の役割を決める際に解説しているので省略します。

2-7 4つの顧客(ステークホルダー)

「4つの顧客(ステークホルダー)」(**図22**)とは、「株主」「お客様」「社員」「社会」を言います。ある問題の解決方法を決めるとき、この四者の観点からの要請を満足しているかどうかを考えます。

たとえば、売上げを拡大するための施策を打つ場合、「株主」の要請は満たすことになりますが、果たして「社会」、つまり法律や企業倫理から逸脱していないかどうかも同時に考えなければなりません。さらに「社員」を犠牲にしてはいないか、「お客様」に不利益をもたらさないかどうかも考える必要があります。企業を取り巻くステークホルダーに焦点を当てたMECEと言えます。

❸ 問題の優先順位づけをする

社内のリソース(人、モノ、金)を有効に使うためには、MECEツールを使って洗い出した問題の優先順位づけが欠かせません。

図23のようなマトリクスを模造紙1枚に書き、縦軸に「重要度」、横軸に「緊急度」と記入します。そして洗い出した問題を付箋に1枚ずつ書いて、マトリクス上に貼ります。この作業は一人でやらずに、ぜひ主要関係者とディスカッションしながら行ってください。「なぜそう考えるのか」を共有しながら。

以上で全社的視点、経営戦略的視点からの問題の整理が終わりました。ここから後は、一つ一つの問題解決のやり方に話を進めます。

優先順位づけ　　　　　　　　　　　　　　　図23

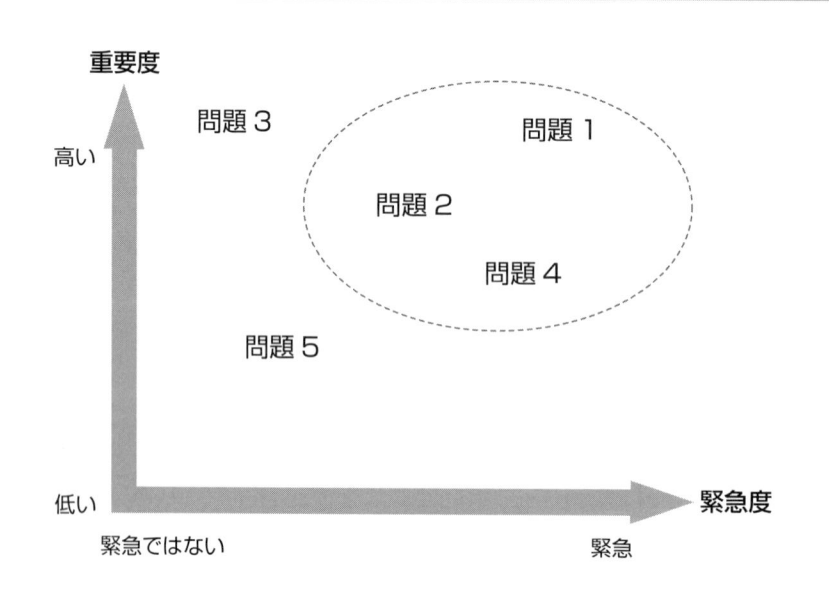

(5) 問題解決のサイクル

　それぞれの問題は、その内容によって取るべき手立てが異なります。問題を引き起こしている要因が異なるので当然のことです。

　たとえば先ほどの低迷プロ野球球団の例で、「クリーンアップの平均打率が2割4分であり、目標の2割6分に達していないこと」と「エラー数が1試合平均3個出ていること」という二つの問題を引き起こしている要因は異なります。したがって、解決するための手立ても異なるだろうと簡単に想像できます。

　しかし、ビジネスの場合はそう簡単にはいきません。問題の要因がわからないことがよくあるからです。また、要因を確かめないままにいきなり解決策に飛びついて、ピントのはずれた対策を講じた結果、無駄な投資を招いた事例も散見されます。

　ある建設会社の事例を紹介しましょう。この会社は、工期の遅れによる利益低下と顧客満足度低下に危機感を抱いていました。

　これまでの経験から、「人手の質・量の向上」「機材の質の向上」「工事スケジュールの見積もりの質の向上」などの手を打ちましたが、どれも思ったほどの効果が上がりませんでした。そこで、さまざまなデータを持ち寄って原因について話し合った結果、顧客からのクレーム、それも工事機材の音に関する苦情に対応するためにたびたび工事が中断していることが、大きな要因であることを突き止めたのです。

　そして、これを解決するために、工事機材に工事音とは逆の位相の音をスピーカーから発することで消音化に成功して、大きな成果を収めました。このように、問題を発生させている真因を確かめることは、重要な意味を持つのです。

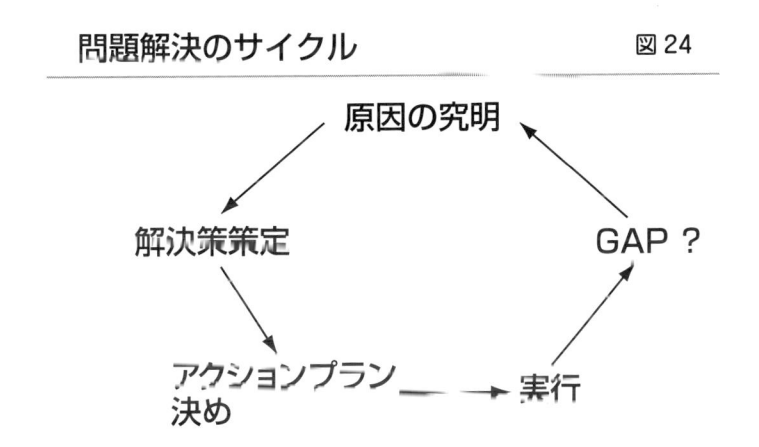

問題解決のサイクル　　　　　　図24

原因の究明 → 解決策策定 → アクションプラン決め → 実行 → GAP？ → 原因の究明

いきなり直接的な解決策に飛びついても成果が上がるとは言えないのです。

以上のことを整理すると、**図24**のような「原因の究明→解決策策定→アクションプラン決め→実行→（再び）GAPの認識→原因の究明」というサイクルで問題解決を図ることが効果的だということが明らかになります。

(6) GE式ワークアウト会議による問題解決の進め方

ワークアウト会議とは会議の一種で、いくつかの優れた特徴があります。もともとはGE（ゼネラル・エレクトリック）社が開発した問題解決のための会議手法で、多くの企業で実践されています（以下、「ワークアウト」と略します）。

❶ ワークアウトの特徴

1-1　目的がはっきりしていること

問題の解決策、実行計画（アクションプラン）を目的成果物とし、必ずこれをつくって終わります。翌日から実行に移すためです。

1-2　進め方がテンプレート化されていること

図25にあるように、原因の追究→解決策決め→アクションプランの策定

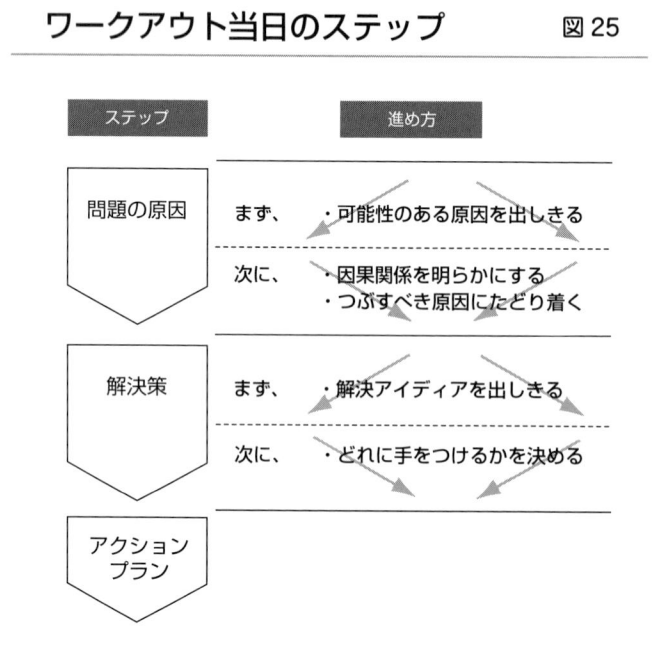

ワークアウト当日のステップ　　図25

ステップ	進め方
問題の原因	まず、・可能性のある原因を出しきる
	次に、・因果関係を明らかにする ・つぶすべき原因にたどり着く
解決策	まず、・解決アイディアを出しきる
	次に、・どれに手をつけるかを決める
アクションプラン	

というように進め方のステップが決まっています。また、それぞれのステップで使うツールも推奨されたものがあります。多くの場合、丸一日かけてこのステップを一気にディスカッションします。

1-3 スピードがあること

翌日からすぐに行動を開始し、数週間から数か月で効果が得られます。

❷ ワークアウトのルール

ワークアウトは即効性のある便利な手法ですが、いくつかのルールがあります。

2-1 参加者は部門にこだわらないこと

参加者は部門を超えて招集します。△△部とか、□□課のメンバーだけで議論するのではなく、問題を発生させている可能性のある部門から柔軟に参加者を募ります。

2-2 肩書きを超えて意見を出し合うこと

その問題に関して最も詳しい人を招集します。したがって、ある部門からはマネジャー、ある部門からは入社3年目の若手、というように肩書きがバラバラになることもよくあります。率直に意見を出し合って問題を解決するためには、肩書きを意識したり、遠慮したりすることはタブーです。

2-3 グラウンドルールを守ること

限られた時間内に解決策とアクションプランをつくり上げるので、ディスカッションが効率的に進むように冒頭にルールが決められます。そして参加者は自主的にこれを守ります。

❸ ワークアウトの役割分担

ワークアウトには以下のような役割が必要です。

3-1 チャンピオン（スポンサー）

ワークアウトの主催者で、その問題の解決に関して責任と決裁権を持つ人です。部長、役員が一般的ですが、問題の大きさによっては社長の場合もあります。ワークアウトの成果物を決めたり、参加者がつくったアクションプ

ランの提案を受けて、これを決裁したりする重要な役割が与えられます。

3-2 ファシリテーター（司会者）

チャンピオンの要請を受けて、ワークアウトを成功に導くようにすべての段取りと当日の司会を担当します。具体的には、参加者への通知、会場の手配といった事務的な仕事から、アジェンダ（時間割）づくり、使うツールの準備など、やることは多岐にわたります。当日は、時間内に成果物をつくり上げるために、司会進行役を務めます。

メンバーからアイディアを引き出し、議論を促し、成果物に導くための優れたコミュニケーションスキルが必要となります。チャンピオンと同等、あるいはそれ以上に成功の鍵を握る重要な役割です。

3-3 参加メンバー

前述のとおり、部門にとらわれず、問題の解決のために関係する部署から集めます。目安としては、8人までが適正です。

3-4 タイムキーパー

文字どおり、参加者に時間の経過を知らせる役割です。ファシリテーターの依頼により、当日の参加メンバーの中から選ぶ場合が多いです。

3-5 板書係

メンバーの意見やディスカッションのポイントを、ホワイトボードなどにリアルタイムで書いていく役割です。議論が散漫になったり、人によって理解にバラツキが出たりすることを防ぐための記録ですから、きれいに書くより、早く書く。多少の誤字やひらがなもOKという寛大な暗黙のルールのもとに実行します。

❹ チャンピオンの役割

チャンピオンが問題解決の責任と決裁権を持つ人であることはすでに説明しました。部門長や役員、社長が、問題の解決のために「よし、ワークアウトをやろう。ついては、△△君にファシリテーターを頼もう」というように、ワークアウトを身近な問題解決ツールとして活用できるようになれば、まさに鬼に金棒です。

おそらく、今この本を読まれているあなた自身が、チャンピオン役となる場

合が多いと思います。そのために、ここでチャンピオンの役割をもう少し詳しく解説します。ここから先は、自分自身がチャンピオンになったと想定してお読みください。

4-1 事前の準備

《ファシリテーターを育てる》

　先ほど説明したように、ワークアウトの成功の鍵はファシリテーターにあると言っても過言ではありません。それくらいファシリテーターは重要な役割です。プロのファシリテーターに依頼することも可能ですが、長期的に見れば社内で育成したほうが効果的です。

《具体的な役割と準備スケジュール》

◎ 成果物を決める

　図26に示したように、チャンピオンが最初にやるべきことは、ワークアウトの成果物を決めることです。すでにGAP分析で問題の洗い出しと、優先順位づけを終えているはずです。その中の最優先の問題を解決するためにワークアウトを実施するわけですから、ワークアウトの成果物も問題を解決するための具体的なアクションプランとなります。抽象的な表現ではなく、限りなく具体的な成果物を決定します。

◎ 参加者を決める

　成果物を決めたら、参加メンバーを誰にするかを決めます。解決すべき問題に照らし合わせて、あなたが最もふさわしいと思う参加メンバーを選び

チャンピオンの役割　　　　　図26

2週間前	ワークアウトの成果物を決める ファシリテーターを依頼する ファシリテーターと成果物を約束する（握る）
1週間前	アジェンダを確認する
当　日	【開始時】期待を述べる 【終了時】アクションを決裁する 　　　　　「承認」「否認。なぜなら」 　　　　　「保留。もう少し検討を」 感謝とねぎらい
2週間ごと	進捗を確認する アドバイスをする

ます。前述のとおり、ある部門だけから選んではいけません。また、肩書きを統一することもいけません。あくまでも問題の解決に際して呼ぶべき人を選びます。「とりあえず、あいつも呼んでおこう」というのも避けるべきです。

◎ ファシリテーターを依頼する

次にファシリテーターを依頼し、ワークアウトの期待成果物を伝えます。ファシリテーターの立場からすると、あなたの期待する成果物をつくり上げることが責務なので、受ける以上は、具体的にいろいろと情報を聞いてくるはずです。ここで誤解してほしくない点があります。それは、ファシリテーター自身が成果物をつくり上げるのではないということです。

ファシリテーターは、参加メンバーの意見やアイディアを引き出し、まとめ上げ、成果物に導くことが役割なのです。だからこそ、参加メンバーが安心してワークアウトの作業に集中できるように、いろいろとあなたに確認するのです。ですから、問題の背景にあるデータや情報は、惜しまずに提供してください。また成果物に関しても、約束した（握った）以上は後で覆してはいけません。それがチャンピオン役にふさわしい幹部たる者のリーダーシップです。

◎ 参加者に通知する

先ほど決めた参加者に対して、ワークアウトへの参加を知らせます。ファシリテーターに依頼するのではなく、チャンピオン自身が直接伝えてください。そうすることで、ワークアウトの重要性を認識させると同時に、モチベーションを上げることもできます。

「なぜワークアウトをやるのか」「なぜあなたに参加してほしいのか」を、明快に伝えてください。参加者によっては、「なぜ自分がこのワークアウトに参加しなければならないのか」が腑に落ちない人もいるかもしれません。その場合には、1時間程度の事前顔合わせ会を開いて、参加の必要性を納得させましょう。やり方はファシリテーターが知っていますので依頼してください。参加者が腑に落ちないままワークアウト当日を迎えると、進行にも支障をきたすので、ぜひとも配慮したい点です。

ここまでが、だいたいワークアウト当日の2週間前くらいにやるべきことです。

◎ アジェンダを確認する

1週間ほど経過すると、ファシリテーターはアジェンダ（当日の時間割）をつくり、あなたの了解を得に来るはずです。成果物をつくり上げるための作業工程、つまり会議（ワークアウト）の時間割です。ファシリテーター

から説明を受ける際、必ず各ステップで何をどのように作業するのか、また、各ステップでは何ができ上がるのかを確認します。少しでも納得がいかないことや心配なことがあれば、遠慮なくファシリテーターに確認してください。ファシリテーターとしても、いろいろと指摘やアドバイスを受けることは、運営上とても役に立ちます。

4-2 ワークアウト当日

ワークアウトの進行はテンプレート化されています。つまり原因の洗い出し→絞り込み、解決策の洗い出し→優先順位づけ、アクションプランの策定、という流れです。これを一気に実施しますので、普通は丸一日かけて実施します。104ページからワークアウトの実例を載せていますので、参考にしてください。

全体の進行はすべてファシリテーターが行います。通常、チャンピオンの出番は、開始時と終了時です。

《開始時》

ワークアウトの開催に先立ち、チャンピオンとしての期待を述べます。なぜ今このワークアウトをやらなければならないのか、期待する成果物は何か、成功したあかつきにはどんなよいことがあるか等です。特に初めての参加者は緊張しているものです。明るく、緊張を解きほぐし、エネルギーを与えてください。だらだらと長く話す必要はありません。5分程度で十分です。話を終えた後は退出します。

参加者が気にしないのであれば、そのままオブザーバーとして参加していても構いません。これはチャンピオンが決めることではありませんから、参加者の合意を優先してください。

《終了時》

1日の作業を終えて、成果物ができ上がります。通常は「△△のためのアクションプラン」という形で、複数の提案にまとめられています。夕方再びワークアウト会場に顔を出すあなたを迎えるのは、疲れの中にも充実感に満ちた参加者たちの姿です。

ⓘ 決裁する

参加者の1人が成果物についてあなたに説明をします。ひと通り説明を受けたら、一つ一つの提案について、次のいずれかの決裁をします。

・承認、ぜひやろう！

・否認、なぜなら……。
・保留、もう少し検討を。

　三つの決断のどれかになりますが、あなたが社内から選りすぐった参加者が1日かけて考え出した成果物です。先入観を排除し、興味を持って、全身全霊で耳を傾けてください。決裁の基準はあなたの判断です。あなたの権限を最大限に発揮して、明快に決裁してください。

◎ 感謝する

　参加者に心からの感謝の言葉を投げかけてください。あなたのために成果物を生み出したのですから。

◎ 慰労する

　ワークアウトは通常夕方終了します。基本パッケージとしては、そのまま慰労の席へと移ることが推奨されています。それにより、ワークアウト中の裏話などがワイワイガヤガヤとあなたに語られ、ワークアウトチームとしての一体感が醸成されます。

　もちろん、「近所の飲み屋で一杯！」でもOKです。ぜひ、この場でも感謝と慰労の気持ちを表現してください。

4-3 終了後翌日から

　ワークアウトの真価を本当に発揮させるのは、実施の翌日からです。決めたアクションプランを着実に実行させるには、それなりの工夫が必要です。なぜなら、昨日までの仕事に上乗せして、ワークアウトで決めたアクションが追加されたからです。メンバーにとって、仕事が増えたのです。

　問題を解決するためには一定期間、なんらかのコストがかかりますが、「追加の仕事」もコストのうちです。あなたはそれも見越して「了解、やろう」と決裁したはずですが、それを行う社員にとっては別問題です。昨日までの行動を今日から変えるというのは、「言うは易く行うは難し」です。あなたが何もしないでいたなら、せっかく決めたアクションプランはまず実行されないと思っておきましょう。

4-4 定期的なフォロー

　そのために、ワークアウトチームに対して、定期的なフォローを実施することをお勧めします。簡単な報告シート（**図27**参照）を用意し、2週間に一度ワークアウトチームに報告させます。あなたの役割は、アクションが順

調に進んでいるかの確認、リスクの確認、必要な支援の実施です。特に支援者としての立場を忘れずにいてください。

　チームが壁に突き当たる最も多いケースは、「△△さんが動いてくれない」など、人に関わる障壁です。あなたが頼りにされるのは、もしかしたら人を動かすことかもしれません。優れたファシリテーターは、抵抗者への影響戦略スキルも身につけていますので、相談するのも手です。

　このフォローはアクション完了まで実施しますが、一回のフォローミーティングの所用時間は最大で30分。順調に進んでいるのであれば、5分で終了してください。とにかくスピーディーに行きましょう。

報告シート　　　　　　　　　　　　　　　図27

ワークアウトチーム（7/15）

2週間でやったこと	次の2週間でやること
・○○○○○○○ ・○○○○○○○ ・○○○○○○○	・○○○○○○○ ・○○○○○○○ ・○○○○○○○
リスク・心配事	サポートしてほしいこと
・○○○○○○○ ・○○○○○○○ ・○○○○○○○	・○○○○○○○ ・○○○○○○○ ・○○○○○○○

column

すべての問題は自分が成長するための課題

　リーダーの部下に対する接し方は、過去に起こった事柄にこだわってWHY（なぜ、できなかったのか？）と問いつめるより、未来に向かってHOW（どうしたら、今後できるようになるのか？）をテーマとしていきたいものです。リーダーは、すべての問題は自分が成長するための課題であるととらえて責任を積極的に担うとともに、失敗した部下には反省し立ち直る機会を与えることです。問題が起こったときこそ、リーダーの柔軟な心が求められます。

ワークアウト例

状況

ある地元密着型の中小介護ヘルパー派遣会社の例です。

この会社では、半年くらい、お客様から「来るはずのヘルパーが来ない」「来るべき時間からかなり遅れて来る」等の苦情が多く発生していました。

人材不足から、採用基準が甘く、十分な教育もなされないままに現場の仕事に就かせているのが原因かもしれません。

しかしながら、その原因は憶測の域を出ず、経営者も危機意識を持たなかったため、対策を講じないままに時間が過ぎていきました。

そんな中、近隣に大手フランチャイズの介護ヘルパー派遣会社が出店することになりました。

これはもう放っておくわけにはいきません。

ワークアウトの事前準備　1

社長がみずからチャンピオンになり、ワークアウトを実施することを決めた。

企画部長にファシリテーターを依頼。

企画部長と社長は、ワークアウトの実施について、以下を約束した（握った）。

成果物： ヘルパーが絶対に訪問を忘れないための施策とそのアクションプラン

参加者： ヘルパー
（優秀な者1名、訪問を忘れた経験のある者2名）
ヘルパーのリーダー職　1名
顧客電話担当の事務員　1名

ワークアウト例

ワークアウトの事前準備　2

　企画部長は、成果物を生み出すためのアジェンダを決めて、社長に説明した。
　また、その際に思い当たるいくつかの原因について、事前にデータを集める提案をし、社長の了解を得た。

当日のアジェンダ

・原因の洗い出し「なぜ訪問を忘れる？」	9：30～10：30
・原因の絞り込み	10：30～12：00
・昼食	
・解決策のアイディア出し	13：00～14：00
・解決策の優先順位づけ	14：00～15：00
・決めた解決策の実行計画づくり	15：15～17：00
・社長への提案	17：00～18：00
・慰労会	18：30～

ワークアウトの事前準備　3

　企画部長は、事前に以下のデータを取るように事務社員に指示した。
　また、実際に訪問を忘れたことのあるヘルパーには、参加へのためらい払拭とモチベーション向上のために、以下を説いた。

当日までに欲しいデータ

・遅れに関するお客様からのクレーム内容　（過去3か月分）
・クレームの連絡があった顧客と対象ヘルパー　（同上）
・お客様から訪問日の変更依頼があった場合の対応フロー図
・訪問日変更依頼の有無と、クレームの関係

訪問を忘れたヘルパーへの配慮

・叱責するためにワークアウトを開くのではない
・訪問を忘れない仕組みをつくるために、参考になる意見を求めている

ワークアウト例

ワークアウト当日の途中成果物　　　　原因の洗い出し

ブレーンストーミングを実施し、原因の洗い出しを行った。
自由に発言し、それを付箋に書き、壁に貼った。
出し終わったら、全員でグループ分けを行った。

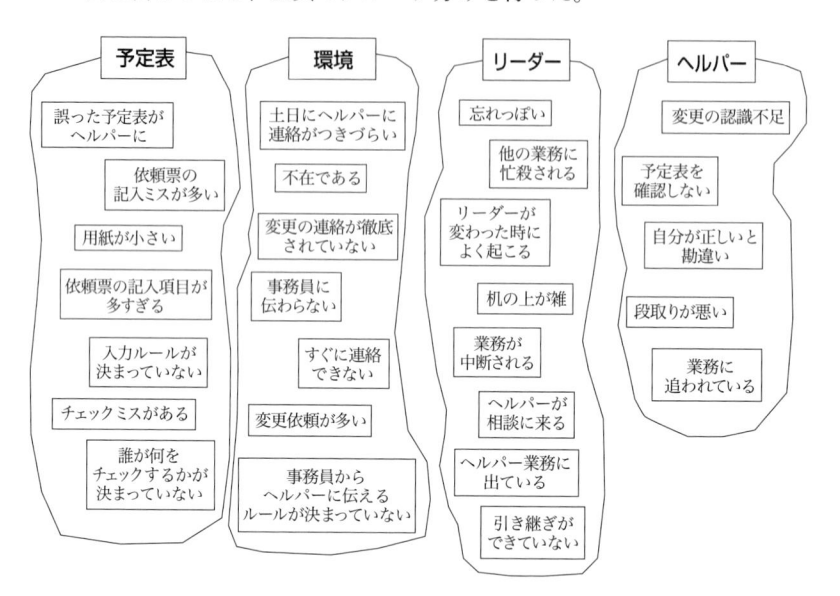

予定表
- 誤った予定表がヘルパーに
- 依頼票の記入ミスが多い
- 用紙が小さい
- 依頼票の記入項目が多すぎる
- 入力ルールが決まっていない
- チェックミスがある
- 誰が何をチェックするかが決まっていない

環境
- 土日にヘルパーに連絡がつきづらい
- 不在である
- 変更の連絡が徹底されていない
- 事務員に伝わらない
- すぐに連絡できない
- 変更依頼が多い
- 事務員からヘルパーに伝えるルールが決まっていない

リーダー
- 忘れっぽい
- 他の業務に忙殺される
- リーダーが変わった時によく起こる
- 机の上が雑
- 業務が中断される
- ヘルパーが相談に来る
- ヘルパー業務に出ている
- 引き継ぎができていない

ヘルパー
- 変更の認識不足
- 予定表を確認しない
- 自分が正しいと勘違い
- 段取りが悪い
- 業務に追われている

ワークアウト当日の途中成果物　　　　原因の絞り込み

それぞれにグループで何が根本原因なのかを話し合った。
話し合っている過程をルートコーズマップで表現しながら、根本原因を突き止めた。

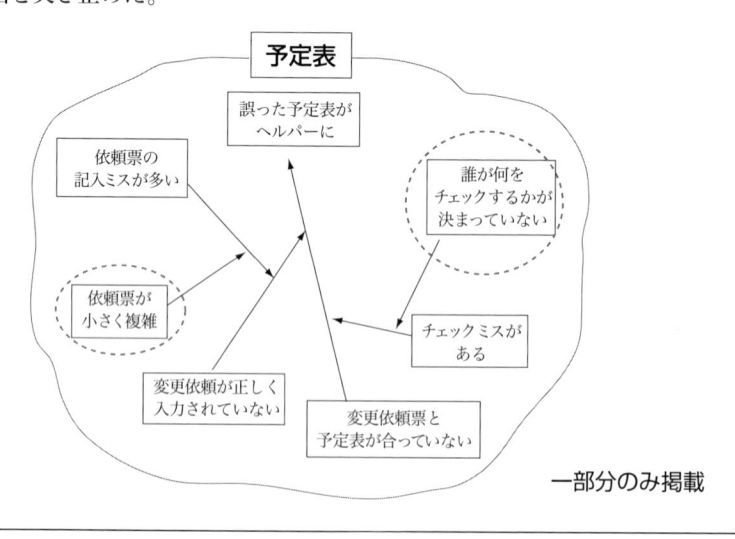

予定表
- 誤った予定表がヘルパーに
- 依頼票の記入ミスが多い
- 依頼票が小さく複雑
- 誰が何をチェックするかが決まっていない
- チェックミスがある
- 変更依頼が正しく入力されていない
- 変更依頼と予定表が合っていない

一部分のみ掲載

ワークアウト例

ワークアウト当日の途中成果物　　　解決策の洗い出し

合計4つの根本原因を突き止め、それぞれの解決アイディアを出し合った。

> 変更依頼票が小さく複雑であるために、記入ミスが起きている。
> また、これをチェックするルールがない。これを解決するためのアイディアを出そう。

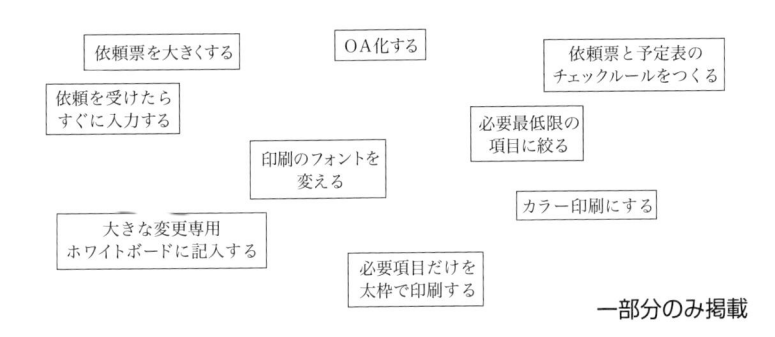

- 依頼票を大きくする
- OA化する
- 依頼票と予定表のチェックルールをつくる
- 依頼を受けたらすぐに入力する
- 必要最低限の項目に絞る
- 印刷のフォントを変える
- カラー印刷にする
- 大きな変更専用ホワイトボードに記入する
- 必要項目だけを太枠で印刷する

一部分のみ掲載

ワークアウト当日の途中成果物　　　解決策の優先順位づけ

出し切った解決アイディアをペイオフマトリクスで優先順位づけした。

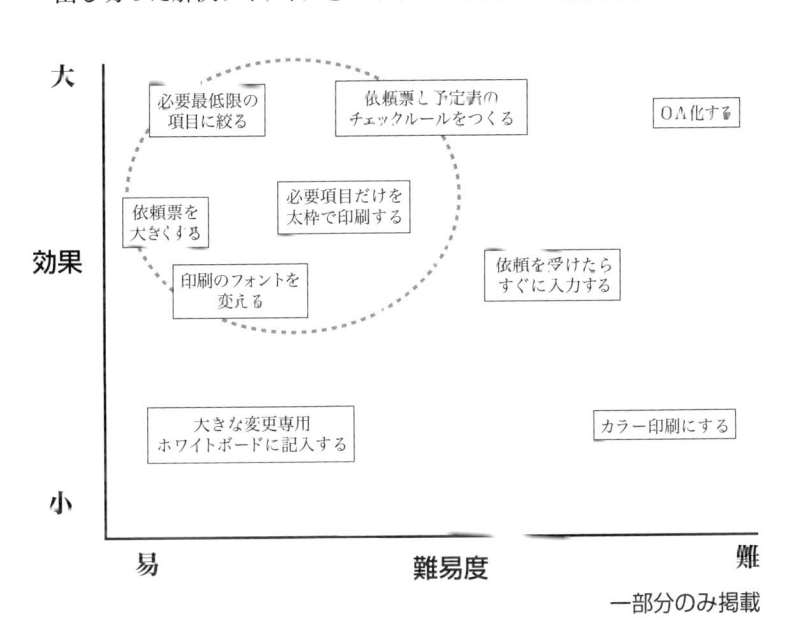

縦軸：効果（大／小）　横軸：難易度（易／難）

- 必要最低限の項目に絞る
- 依頼票と予定表のチェックルールをつくる
- OA化する
- 依頼票を大きくする
- 必要項目だけを太枠で印刷する
- 印刷のフォントを変える
- 依頼を受けたらすぐに入力する
- 大きな変更専用ホワイトボードに記入する
- カラー印刷にする

一部分のみ掲載

ワークアウト例

ワークアウト当日の最終成果物　　解決策のアクションプラン

決めた解決策のアクションプランをつくって、最終成果物とした。

何を	誰が	いつ
・必要項目とチェックルール決めのミーティングを開催する	山田さん	4/5
・新変更依頼票のレイアウトアイディアをつくる	鈴木さん	4/10
・新チェックルール案をつくる	佐藤さん	4/10
・レイアウトアイディア決定会議を開催する	鈴木さん	4/11
・新チェックルール決定会議を開催する	佐藤さん	4/11
・新依頼票と新ルールを使ったパイロット計画をつくる	小野さん	4/15
・パイロット計画の説明会を行う	小野さん	4/16
・パイロットを開始する	小野さん	4/18
・パイロットの検証会議を開催する	小野さん	5/20
・本番を開始する	小野さん	6/1

一部分のみ掲載

ワークアウト終了後のフォロー

2週間に一度、ワークアウトメンバーとの進捗会議を実施した。
　原則的に30分以内とし、資料もA4一枚の報告シートのみにした（図27参照）。

一部分のみ掲載

成果

変更依頼票の改訂と、リーダーによる**チェックルールを導入**した結果、明らかに訪問ミスによるクレームが減少した。

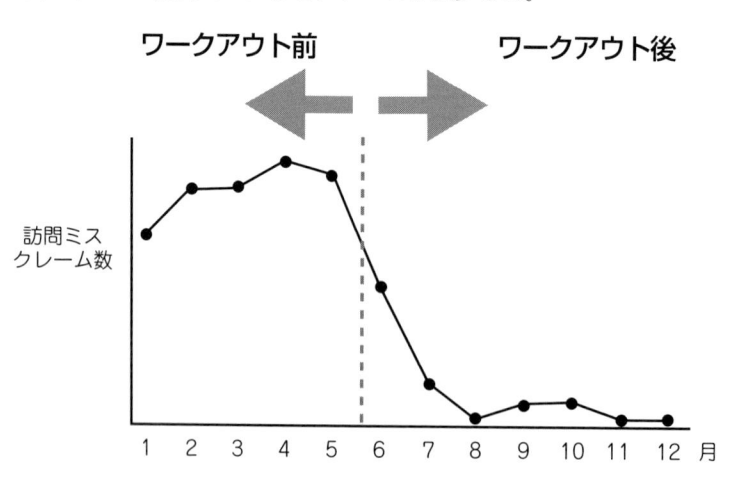

ワークアウト前　←　→　ワークアウト後

（訪問ミスクレーム数　1〜12月の推移グラフ）

(7) ワークアウトがもたらすメリット

❶ チャンピオン役のメリット

チャンピオンの役割は絶大であり、その分、責任も重大です。何度もワークアウトを実施し、経験を積むことで、他では得られないメリットを短時間で得ることができます。第一に部門のメリット、第二にあなた自身のメリットです。

❷ 部門にもたらすメリット

2-1 部下が成長する

ワークアウトに部下を参加させることで、みずから改善しようとする意識が生まれ、結果としてアイディアを出すようになります。

2-2 部門が元気になる

不要な遠慮や見えない壁がなくなり、コミュニケーションが円滑になります。結果として、言いたいことを臆せず言い合えるムードが生まれます。

2-3 問題が解決する

小さな問題でも、それが大きな問題に発展する前に摘んでしまう仕組みができます。2時間程度のミニワークアウトを工夫して実践するようになります。

❸ あなた自身のメリット

ずばり、さまざまなリーダーシップスキルが身につきます。

3-1 コンセプチュアルスキル（問題形成能力）

コンセプチュアルスキルとは、GAPから問題を導き出す一連の作業の中で身につく問題形成能力のことです。ファシリテーターにワークアウトの依頼をする際の背景の説明、経営課題への期待効果等の説明を通じてこれが試されます。

3-2 影響力

影響力とは他人や他組織を動かす力です。この能力はまずワークアウトを

実施するに当たり、他部門からの参加要請をする場面で身につきます。また、終了後のアクションで、「△△さんが動いてくれない」ために頓挫(とんざ)しつつあるときにも必要になります。

3-3 決断力

限られた情報の中で、瞬時に判断を下すスキルであり、ワークアウト当日の決裁の場面でこれが身につきます。

3-4 実行力

アクションプランを着実に実行させるために必要な能力です。アクション完了まで、2週間に一度の定期フォローを絶対にやめないと宣言してしまうのも一つの手です。

3-5 チームを鼓舞する力

チームにエネルギーとチャレンジする機運を与える力です。ワークアウトの準備からアクションの完了までを通して必要になります。

3-6 エネルギー

あなた自身の中で、変革と行動の源泉をつくり出す力です。ワークアウトの準備からアクションの完了まで一貫して必要になります。

3-7 スピード

物事を短時間で判断、実行する力です。ワークアウト自体がスピーディーなつくりになっているので、自ずと身につきます。

3-8 自信

物事を短時間で判断することは、多少のリスクを取る覚悟が必要になります。チャンピオンを経験すると、自分の権限と能力のバランスがわかるようになり、自分自身の判断基準が見えてきます。これが決断の自信につながってきます。判断基準に自信が持てるようになると、次のプレゼンテーションの表現力も不思議なことに向上します。

3-9 シンプルな表現力：プレゼンテーションスキル

自分の言いたいことを短時間で納得させる伝達力のことです。これはワー

クアウト当日の期待表明の場面と、決裁の理由を説明する場面で必要です。何度かチャンピオンとして経験を積むことで身につきます。

(8) 経営者、部門長に求められるリーダーシップ

これからの経営者、部門長に求められるスキルとは何でしょうか。

ドラッカーは名著『プロフェッショナルの条件』（上田惇生訳、ダイヤモンド社）の中で、リーダーシップの本質について、「カリスマ性でも資質でもない」「リーダーたることの第一の要件は、リーダーシップを仕事と見ることである」と断言しています。

彼は「効果的なリーダーシップの基礎とは、組織の使命を考え抜き、それを目に見える形で明確に定義し、確立することである。リーダーとは、目標を定め、優先順位を決め、基準を定め、それを維持する者である」と述べています。

この項で説明してきたことは、ドラッカーの言葉と深く関係しているのがおわかりになるでしょう。

memo

2 部下を育成する

(1) 目標達成と部下育成の関係を整理する

　あらゆる困難に果敢(かかん)に立ち向かい、変化し続ける環境に素早く適応する組織をつくり上げることは、部門長自身の目標を達成するために何よりも効果的です。

　そのためには、部下一人ひとりの無限の可能性を表に引き出し、パワーを顕在化させることが必要です。上司である部門長として、どのような働きかけをすればよいのでしょうか。

　「忙しいから部下を育てている暇などない」というのはよく耳にする言葉ですが、この言葉の背景には、第一に、目標達成と部下育成とは別物であるという考え方、第二に、部下は自分で成長すべきであるという考え方がありそうです。

　第一については、前節の「経営サイクルと目標管理の関係を知る」で、期中の業務の進捗(しんちょく)管理そのものが目標管理であることを説明しました。部下の業務の進捗について、報告・連絡・相談を促し、その都度適正な指示やアドバイスを行うことも部門長の重要な仕事の一つであり、部下はそうした経験を通じて日々成長していきます。つまり目標達成と部下育成は別物ではなく、完全にリンクしていると考えるべきです。

　第二については、まず部下は自分で成長していくべきなのかどうかを考えてみてください。会社から報酬を受ける以上、確かに目標達成に貢献することは社員としての責任です。そのために自分で勉強し、工夫し、仕事の仕方を改善していくことも当然求められるべきでしょう。しかしながら、成長の機会と動機づけと上司からの支援がなければ、自分一人の力で成長していくことには限界があります。

　組織の中での役割という限界、結果を出さなければならないという心理的限界、そして時間的な限界です。この壁を取り除き、自主的に思う存分自分の能力を発揮するためには、上司の支援ほど有益なサポートは他にありません。

　図28をご覧ください。今、仮に効果60のチームがあったとします。人数は10人ですが、平均して6しか能力を発揮していないチームだったとして、このチームの上司は、効果を100に近づけるためにどうすればよいのでしょうか。

　一つの方法として、人数を増やすことも考えられます。でも、これは簡単に許されないのが実情でしょう。もう一つの方法として、発揮される能力を10

組織の効果向上　　　　　　　　図 28

```
効果 ＝ 人数 × 発揮される能力
 60 ＝ 10 ×    6
  ?    14 ×    6
  ?    10 ×   10
```

に近づけるというアプローチもあります。これだと、人数は現状のままで効果は 100 となります。

このように、今いる部下の発揮能力を高めて目標を実現していくため、上司に必要となるのがコーチングスキルです。

(2) コーチングとティーチングの違い

コーチングという言葉は最近よく耳にされると思います。スポーツの世界では一般的ですが、近年はビジネスの世界でも注目されるようになりました。

❶ コーチングとは

コーチ（Coach）は馬車という意味であり、大切な人を、その人が望むところまで送り届けるというのが語源です。ビジネスの世界では、「もともと相手に備わっている本領を発揮することを手伝い、力を引き出すこと」と言えます。そして、これを可能にする技術のことを「コーチングスキル」と呼びます。

よく「自分は人にモノを教えるのは向いていない」と言って、部下の育成を別の者に任せてしまう部門長がいますが、これは大いなる誤解です。なぜなら、コーチングは「スキル」、つまり経験や訓練によって身につく「技術」であって、天性の資質によるものではないからです。つまり、学べば誰でも身につくものです。

もう一つの誤解は、コーチングはモノを「教える」のではないということです。モノを「教える」というのは、自分の知識や経験を相手に伝えるという行為であり、ティーチングという言葉で表現されます。

コーチングは、相手の考えや行動に対する自発性を引き出す行為です。図29 に、コーチングに向いている場面、ティーチングに向いている場面を示し

ました。

横軸に、経験・能力の「高い」「低い」を置き、縦軸に重要度・難易度の「高い」「低い」を置きます。これでコーチングにふさわしいケース、ティーチングにふさわしいケースがはっきりします。

誰にコーチングし、誰にティーチング？ 図29

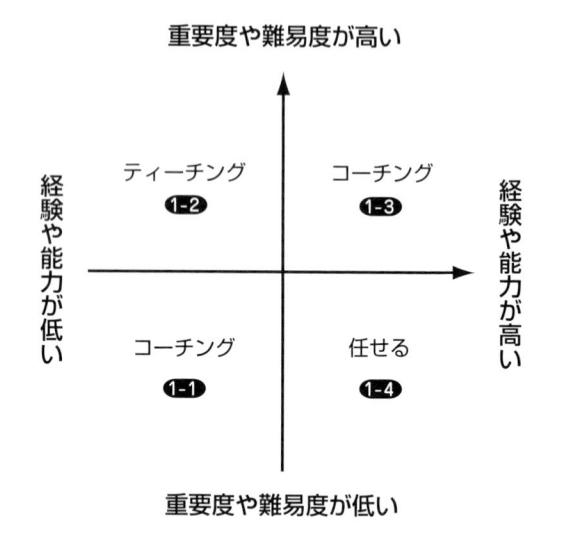

```
              重要度や難易度が高い
                     ↑
経          ティーチング │ コーチング         経
験            1-2     │   1-3             験
や                    │                    や
能 ─────────────────┼─────────────────→ 能
力            コーチング │  任せる           力
が            1-1     │   1-4             が
低                    │                    高
い                    ↓                    い
              重要度や難易度が低い
```

1-1 経験・能力が低く、重要度・難易度も低い場合

簡単な仕事に従事する未熟な人材、つまり、新入社員などがこれに当たります。この場合には、「じゃあ、この仕事はどうやったらいいと思う？」というふうに考えさせることが本領発揮につながります。つまりコーチングが機能するケースです。ただし、最低限の仕事のやり方はティーチングによって教えましょう。

1-2 経験・能力が低く、重要度・難易度が高い場合

これは、まだその仕事をよく知らないというケースです。たとえば、営業から経理に異動してきたばかりの人材などがこれに当たります。この場合には、「どうやったらいいと思う？」と聞いても、引き出しがないので、コーチングには向かない場面です。OJTなどによるティーチングを実施することを優先します。

1-3 経験・能力が高く、重要度・難易度も高い場合

これは、専門能力や経験が豊富で、重要な仕事を任せられている人材です。たとえば、熟練した技術では他者に代え難い人材がこれに当たります。この場合には、新たな組織目標達成のために力を貸してほしいので、「どうやったらいいと思う？」と聞いて、潜在能力を引き出すのがふさわしい場面です。つまりコーチングが機能します。

1-4 経験・能力が高く、重要度・難易度が低い場合

このようなケースは少ないかもしれません。この場合は本人に任せておくのが一番でしょう。

以上を整理してみると、ティーチングに向いている場面とは、「緊急性が高いとき」と「基礎的な知識を教えたいとき」であり、コーチングに向いている場面とは、「目先の回答を与えたくないとき」「アイディアを広げさせたいとき」「考える習慣をつけさせたいとき」となります。

❷ コミュニケーションスキル

コーチングとは、相手の考えや行動に対する自発性を引き出す行為であり、「技術」なので、練習すれば身につくと述べました。
では、どのようにすれば身につくのでしょうか。
コーチングスキルの基本をなすものは、メンバーの自主性を引き出すコミュニケーションスキルであり、まずそのプロセスを知ることから始めます。

2-1 コミュニケーションとは

人と人とのコミュニケーションは次の三つに整理されます。

・言葉、非言語のキャッチボールである。
・言葉のやりとりだけではなく、表情や手振りなども重要な要素。
・相手がある。

伝えた「つもり」のメッセージは、必ずしも相手が正しく理解してくれているとは限りません。伝わっていない理由として「相手が悪い」と決めつけるのは、ビジネスコミュニケーションの場では禁物です。コミュニケーショ

ンにはメッセージを伝えたい相手が必ずいますが、「伝わったメッセージ」だけが「伝えたメッセージ」といえるのであって、発信しただけではコミュニケーションは完結しないのです。

2-2 コミュニケーションプロセスを理解する

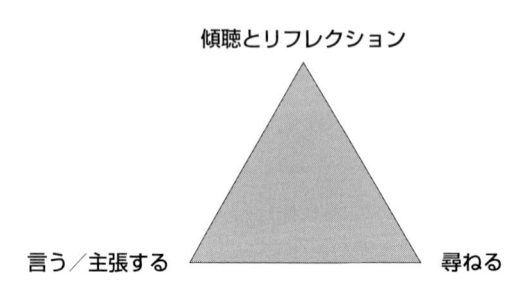

では、よいコミュニケーションづくりのプロセス（**図30**）とはどういうものなのでしょうか。コミュニケーションを形成する要素には、「言う／主張する」「傾聴する／リフレクションする」「尋ねる」の三つがありますが、コーチングの場面で重要なのは「傾聴／リフレクション」と「尋ねる」です。

◎ 傾聴とリフレクションの仕方

　傾聴とは、相手の言うことに耳を傾けることです。
　「聴き方」で大切なのは、「途中で遮(さえぎ)らない」ということです。リフレクションとは、「聴いている」ことを相手にわかってもらうための行為です。聴いているかどうかは、このように態度で示さなければわかってもらえません。
　リフレクションで最も重要なのは「アイコンタクト」、つまり相手の目を見て聴くことです。他の注意点はここでは省略しますが、傾聴とリフレクションは、「相手との信頼関係をつくるために最も重要なコミュニケーションプロセスである」ということを押さえておいてください。

◎ 尋ね方

　尋ね方で最も重要なのは、「尋ねる目的は何か」を決めることです。相手に目的を言う必要はありませんが、なんのために質問をするのかを自分の心の中で決めてから質問することが大切です。というのは、「尋ねる」という行為は、相手から情報を得るという目的の他に、相手の頭を整理させることや、時には誘導することにも使えるからです。

コミュニケーション・プロセス　　図30

　　　　　　　　傾聴とリフレクション

言う／主張する　　　　　　　　　　尋ねる

ある保険会社のベテランセールスレディーの例です。

その人は「言う（売り込む）」ことを一切しないで、年収5000万円を実現しました。自分から商品を提案するのではなく、「傾聴とリフレクション」を駆使して、相手の話を親身になって聞いて信頼関係を築き、「尋ねる」を使って相手の最も大切な改善点を浮き彫りにしました。そして最後に、解決法として保険商品の紹介をしていたのです。相手にとっては、自分の悩みを自分で明らかにし、自分で解決策をチョイスしたことになります。当然のことながら、このセールスレディーの解約率やクーリングオフの率は抜群に低いものでした。まさに、ファシリテーション型のセールスです。

さて、一般的に、質問の仕方には二通りあります。一つは〈クローズドエンドクエスチョン〉です。答えが具体的で、基本的に正解は一つしかない質問です。たとえば、「それは何曜日のことですか？」「何色ですか？」などの質問です。英語で言うと、「Do you」や「Are you」で始まるような質問もこれに当たります。

もう一つは〈オープンエンドクエスチョン〉です。決まった答えがなく、正解は一つではないような質問で、たとえば「なぜそう思うのですか？」「どう感じますか？」などの質問です。英語で言うと、「Why」や「How」で始まるような質問がこれに該当します。

より多くの情報が欲しいときや、相手の頭を整理させたいときには、オープンエンドクエスチョンを、具体的な答えを知りたいときには、クローズドエンドクエスチョンを使うのがよいでしょう。

2-3 自主性を引き出す「褒め方」

人間は、新しい環境に飛び込んだときや、新しいことを始めなければならないとき、最初の一歩を踏み出す行動が起きにくい動物であると言われます。それは、新しい自分が周りにどのように認知されているかが不安だからであると考えられています。

部下へのコーチングでは、その不安を取り除くための「承認」と「褒める」という行為が大切になります。承認とは、相手の存在を認めること、または、相手の行ったことを認めることです。まずは認めることで、最初の一歩を阻んでいる障壁を取り除くことができます。

褒め方にも二通りあります。一つは「Iメッセージ」、もう一つは「Youメッセージ」ですが、多くの場合、「You」が主語になっていると思います。というのは、「I」を主語にするよりも、「You」を主語にするほうが楽ですし、

気恥ずかしさもないからです。しかし、実は「I」を主語にしたほうがバリエーションは増えますし、心にも残りやすいものです。

「短期間でよく予定どおりまとめてくれたね」（You が主語）
「やっぱりやってくれると思っていた。ありがとう」（I が主語）

あなたは最近部下を褒めた際、どのような言葉で褒めましたか。

2-4 多様性（価値観の違い）を知る

効果的なコーチングを実践するためには、相手を知らなくてはなりません。なぜなら、価値観は人それぞれで異なるからです。「褒める」という行為一つにしても、たとえば「結果はともかくとして、プロセスはすごくよかったよ」という褒め方をされたとき、ある人はモチベーションが上がりますが、ある人は疑心暗鬼になります。

多様性にあふれた組織であればあるほど、このようなケースは毎日のように起こり得ます。多様な価値観を持った人が集まっているからこそ、組織の柔軟性と発展性が期待できるので、これはやむを得ないことですが、相手に合わせたコーチングを実践する際には、多様性への対処法も頭に入れておかなければなりません。

コーチングスキルのトレーニングでは、ある基準によって人の性格や行動パターンを類型化するということがよく行われます。そのパターンに応じてコーチングの手法を使い分けようという考え方です。

◎ 感情と主張のマトリクス

一例として図31、図32をご覧ください。これは横に「主張をする」「主張を抑える」、縦に「感情を出す」「感情を抑える」という軸を取り、四つのスタイルにパターン化した例です。実際には数十項目の質問の回答を分析して類型化します。

◎ スタイル別の特徴

【a：「主張をする」×「感情を出す」＝表現者タイプ】

このスタイルの人の特徴は、アイディアが多く、新しいことを始めることが好きであるということです。ビジョンとか未来を大切にします。表情が豊かで友好的ですが、時には自己中心的になり、早口でついて行けなくなります。このスタイルへのコーチングの際のヒントは、以下のとおりです。

［質問するとき］

自由に語りたいタイプなので、「自由に話してごらん」「どんな解決方法がある？」といったオープンエンドクエスチョンを使うとよいでしょう。

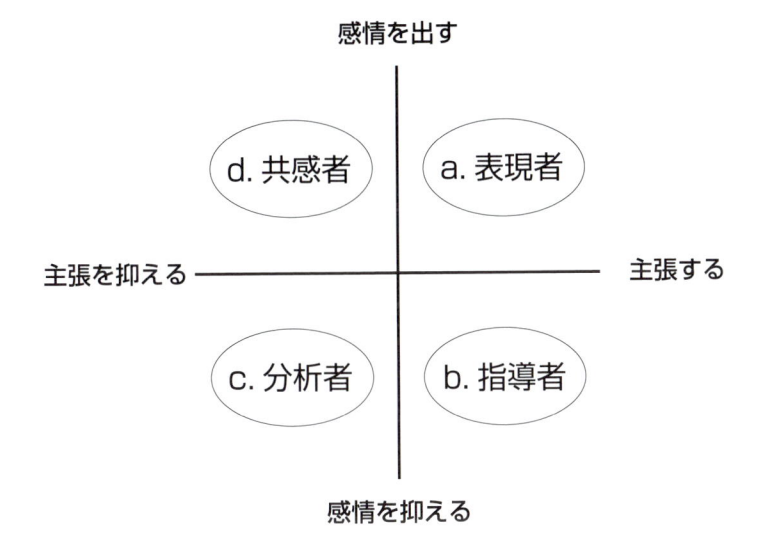

多様性を知る 図31

```
              感情を出す
                  │
      d. 共感者    │    a. 表現者
                  │
  主張を抑える ────┼──── 主張する
                  │
      c. 分析者    │    b. 指導者
                  │
              感情を抑える
```

相対的な違い 図32

感情を出す
- 快活
- 顔の表情が豊か
- 視線を合わせる
- 手振りが多い、肩をすくめる、オープンな態度
- 人との交流を楽しむ
- 笑う、うなずく

主張を抑える
- 声が単調
- 計画的、慎重
- 質問をする
- 主張するときに後ろに引く

主張する
- 声の調子が変わる
- ペースが速い
- 発言をする
- 主張するときに前へ乗り出す

感情を抑える
- 控えめ・無表情
- あまり視線を合わせない
- ジェスチャーを使わない
- 事実にこだわる
- 気持ちをあまり表現しない
- 上の空に見える、用心深く見える

［承認・褒めるとき］
　基本的に褒められ好きなので、大いに人の前で褒めるとよいでしょう。
［依頼するとき］
　信頼されたいタイプなので、「君を信頼している」等の言葉で背中を押すとよいでしょう。

【b：「主張をする」×「感情を抑える」＝指導者タイプ】
　このスタイルの人の特徴は、行動的で弱みを見せない親分肌であることです。効率性とか課題を大切にします。意志が強く自主性もあり、決断力にも優れますが、時には強情で、押しつけがましくなり、支配的になります。このスタイルへのコーチングの際のヒントは以下のとおりです。

［質問するとき］
　質問されることを嫌うタイプなので、まずは何のために知りたいのかを明らかにしましょう。
［承認・褒めるとき］
　褒められることに価値を見いださないので、褒めすぎは疑心暗鬼になるので気をつけましょう。要工夫です。
［依頼するとき］
　配慮されることに価値を置かないので、単刀直入に要請すべきです。

【c：「主張を抑える」×「感情を抑える」＝分析者タイプ】
　このスタイルの人の特徴は、事実や論理を大切にし、見通しが立っていることを好むことです。粘り強く厳格な印象で、自分の腹に落ちればパフォーマンスを発揮しますが、時には批判的で細部にこだわり、自分が納得していないまま物事が進むことに抵抗を示します。このスタイルへのコーチングの際のヒントは以下のとおりです。

［質問するとき］
　具体性を好み、主観よりも客観を大切にするので、「なぜうまくいかないのか？」よりも、「原因は何か？」という切り口が効果的です。
［承認・褒めるとき］
　「すごいよ」は意味がありません。専門領域やよいところを具体的に褒めるとよいでしょう。
［依頼するとき］
　納得感がエネルギーとなるタイプなので、なぜ依頼するのかきちんと説明するとよいでしょう。

【d：「主張を抑える」×「感情を出す」＝共感者タイプ】
　このスタイルの人の特徴は、人を支援することを好み、協調性が高く、チームワークを大切します。人間関係づくりがうまく、信頼感にあふれますが、時に決断が遅く、影響されやすいといった側面もあります。このスタイルへのコーチングの際のヒントは以下のとおりです。

［**質問するとき**］
　相手の期待に応えたいタイプなので、まずは認知と褒め言葉から入り、ゆっくりと安心感を醸成しながら話してください。

［**承認・褒めるとき**］
　合意と共感を大切にするので、小さいことでも繰り返し褒めてください。また、結果よりプロセスを褒めるのも効果的です。

［**依頼するとき**］
　相手に貢献したいという気持ちが強いので、「Yes」と言ってしまいがちです。仕事を依頼しても時間的に問題がないかどうかを、確認したほうがよいでしょう。

　このようなマトリクス分析を行う際には、いくつかの注意点があります。それは、スタイルに優劣はないということ。次に、部下にもスタイルがあるように、リーダー自身にもスタイルがあるということです。

　最後に、スタイルは相手に応じて変えるべきですし、変えることができるということです。また、それぞれのスタイルは過去の経験から導かれた経験則ですから、すべての人をこのパターンに分類して、この情報のみを頼りに対処方法を決めつけるのは危険です。より大切で、より効果があるのは、「今」の相手と進行しているコミュニケーションプロセスを駆使することです。「傾聴とリフレクション」「尋ねる」「言う／主張する」、この三つを効果的に実行してください。

3　評価を行う

(1) 評価の目的を整理する

　これまで、社員一人ひとりの潜在能力をどのように発揮させるかについて、コーチングの技術を中心に説明してきました。最後に、評価について考えましょう。

　評価に対する社員と会社の認識には、往々にしてズレがあります。ある会社で「評価とはどのような意味を持つか」について社員にアンケートを行ったところ、「1年間の成果の集大成」「会社のモノ差しで自分を図ってくれる制度」「昇級・昇格のイベント」など、さまざまな回答がありましたが、最も多かったのは「成果をもとに報酬を決めるルール」という意見でした。

　一方、会社にとって、評価とはどのような意味を持つのでしょうか。ひと昔前は、それこそ賃金や人事制度の基準の一つでしたが、近年では「個人の業績を向上させることを通じて会社の業績を向上させるために行う」という考え方が一般的になってきました。報酬を決めるのは評価制度の機能であって、目的ではないという認識です。

　このように、社員の認識と会社の認識にはズレがある場合があります。皆さんの会社ではどうでしょうか。

(2) 評価への不満の原因を知る

　評価への不満が全くない会社はあり得るのでしょうか？　人が人を評価する以上、評価される側の「期待評価」と評価する側の「評価結果」の落差は完全にはなくなりません。

　まず明らかにしなければならないことは、どのくらい多くの社員が不満を持っているのかという点と、どんな不満を持っているのかという点です。これは本人に直接確かめるよりほかに手がありません。

　最近は、社員満足度調査という手法で会社のさまざまな項目について社員の評価を測り、それを改善の指標に取り入れる会社が増えてきました。評価制度への不満も、その一環として調査されるようになってきました。皆さんの会社でも一度実践してみてはいかがでしょうか。

　問題の大きさによっては、放っておくと、社員の恒常的なモチベーションの

低下を招き、ひいては業績の低下につながってしまうかもしれません。

(3) 評価プロセスと不満の原因

評価のプロセスは、**図33**のようになっています。

最初に目標が設定され、それを達成するために1年間日常業務を行った結果を年度末に評価し、それが本人に伝達されます。一般的にはこのような流れになります。

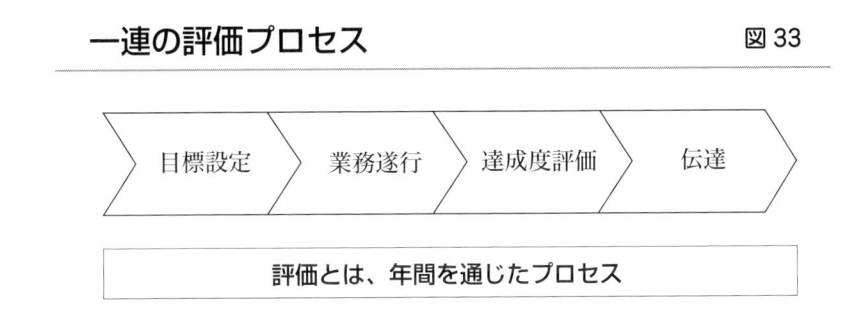

一連の評価プロセス　　　　　　　　　　　　図33

目標設定 ＞ 業務遂行 ＞ 達成度評価 ＞ 伝達

評価とは、年間を通じたプロセス

仮に皆さんの会社の社員が、評価に不満を持っていたとしましょう。このプロセスのどこに原因があるかによって、取るべき手立ては違ってきます。

　　Ⅰ．目標設定のプロセスに原因がある場合
　　Ⅱ．日々の業務遂行のプロセスに原因がある場合
　　Ⅲ．達成度を評価するプロセスに原因がある場合
　　Ⅳ．評価伝達のプロセスに原因がある場合

ここでは、三つめの「達成度を評価するプロセス」を、さらに細かく見てみましょう（**図34**）。

まず、①上司は評価のための情報を収集、整理します。次に、②会社の評価ルールに当てはめて評価します。そのうえで、③なんらかのルールで数値化して点数をつけます。一般的にはこのような手順で評価します。

このとき、情報の収集・整理のプロセスについて深掘りしてみると、目標設定シートに問題があった、日常の報告・連絡・相談の仕方に問題があった、収集すべき情報が示されていなかったなどの問題が出てきます。ルールに当てはめるということに焦点を当てて深掘りしてみると、評価マニュアルに問題があるかもしれません。さらに数値化しての採点プロセスを深掘りすると、評価シー

不満への原因を探る　　　　　図34

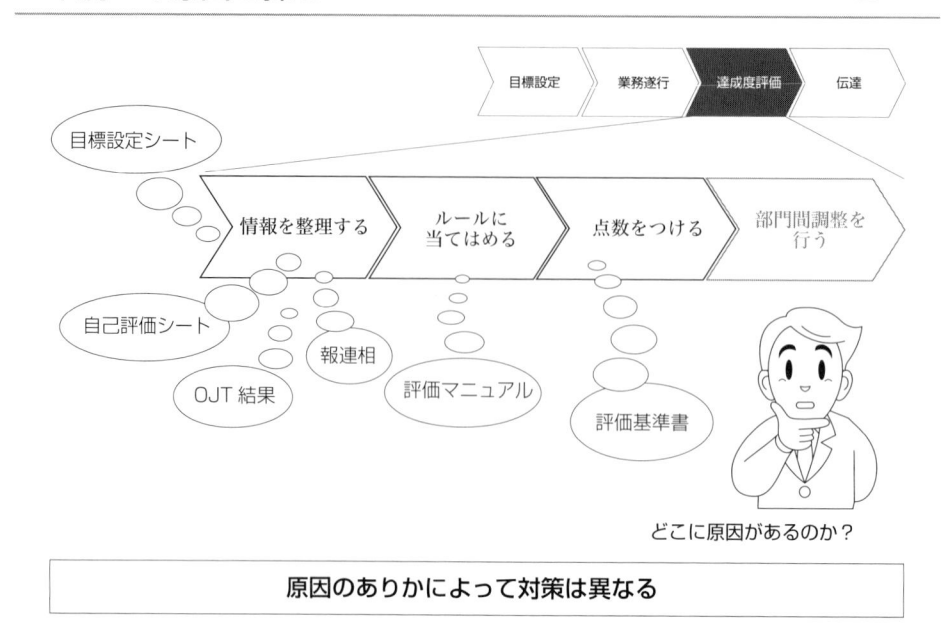

[図：達成度評価プロセスの内訳 — 情報を整理する／ルールに当てはめる／点数をつける／部門間調整を行う。関連資料：目標設定シート、自己評価シート、OJT結果、報連相、評価マニュアル、評価基準書。「どこに原因があるのか?」]

原因のありかによって対策は異なる

トやテーブル表が複雑すぎるということに原因があるかもしれません。

これらの問題については、それぞれの原因に合った解決方法を適用します。

❶ 情報の収集・整理プロセスに原因がある場合

目標設定シートをわかりやすくする、上司に対するコーチングトレーニングを実施する、上司に多くの情報を収集させるようにする、上司に正確な情報を収集させるようにする、上司に結果だけでなく、仕事の仕方や行動面の情報も収集させるようにするなどの方法が考えられます。

❷ 会社の評価ルールに当てはめるプロセスに原因がある場合

会社の定めた評価基準を上司によく理解させる、すべての上司・部下に対して同じルールで評価させるなどの方法が考えられます。

❸ 点数をつけるプロセスに原因がある場合

計算基準を間違わないようにわかりやすくする、客観的な事実に基づいた評価コメントを上司に記載させるなどの方法が考えられます。

これらは「正しい情報」「基準の理解」「同じルール」に集約できます。

(4) 公平な評価の限度を知る

　社員からの不満とは別に、経営層の中でも、公平な評価がなされていないということがよく問題視されます。その都度話題になるのが「公平とは何か」という定義論や、「公平性を維持するにはどうしたらいいのか」という技術論です。しかし、この議論の落ち着くところはおおむね「人事部がより適切で詳細な評価基準をつくる」というものです。そして、人事部が時間をかけてつくり上げた評価制度をもってしても、公平性に関する議論は尽きることがないというのが実情です。
　では「公平」な評価とはなんなのでしょうか？
　よく聞かれるのが、「ウチの会社は評価者によって評価にバラツキがある。ある者は甘く、ある者は辛い」という指摘です。人間が評価を行う以上は、主観を完全に排除して、誰の目で見ても納得できる評価を実現するのは相当に難しいことです。この前提に立って考えてみると、被評価者の感じ方を統一するのではなく、評価者の評価の仕方を統一することのほうが理にかなっていると言えます。
　そこで必要になるのが、同じモノ差し（公正）を使い、同じ目線（公平）で評価するということです。

(5) 公平で公正な評価を実現する

　では、公平で公正な評価を実現するにはどうしたらよいのでしょうか。それにはいくつかの方法があります。

❶ 公平で公正な評価に近づける

1-1 被評価者の情報を最も手に入れやすい人を評価者とすること

　「誰が評価をするべきか」ではなく、「誰が評価をできるか」という視点で考えます。なぜなら、評価のための情報を十分に収集できない人が評価をすれば、感情や主観の要素が多くなり、また評価材料にバラツキが生じるため、結果として公平な評価につながらないからです。
　通常であれば、直接の上司がいちばんこれにふさわしいと思われますが、たとえば部門とは別のプロジェクト等に多くの時間を割いてきた部下の評価

には、そのプロジェクトリーダーの評価を取り入れる仕組みをつくるなどの工夫をする必要があります。いわゆる「ダイレクトレポート」（Direct Report ＝直接の上司）と「ドッテドレポート」（Dotted Report ＝間接の上司）という関係です。

1-2 評価者が被評価者を直接観察できる機会を増やすこと

期中のコミュニケーション、報告・連絡・相談や、これを活用したコーチングを通じて、評価者が被評価者を直接観察できる機会を増やすことで、情報量が増え、正確性が増します。もちろん、会社として上司たちをそのように促す必要があります。

1-3 評価のルールを固定すること

公正な評価をするためには、評価者が評価をする際のルールを固定する必要があります。つまりすべての上司が同じモノ差しで、同じ目線に立って評価をする必要があります。このモノ差しづくりこそ、公正な評価を運用する際の基盤となります。

❷ 評価者＝上司の心構え

正確で十分な量の情報に基づいて公平性を担保し、正確なモノ差しを使って公正な評価を行った以上、上司はそのことに自信を持つべきです。評価の理由について誰に聞かれても、自分が下した評価のプロセスが正しいことをきちんと説明できれば、上司の責任を全うしたと言えます。なぜなら、部下を評価することは上司の責任であると同時に権限でもあるからです。

❸ 陥りがちな評価ミスをなくす

前々項で、公平で公正な評価に近づけるために重要な三つのポイントについてを説明しました。

これらを効果的に運用するためには、評価者研修等で、ルールや基準のズレを防ぐ訓練を実施したり、評価者間でブレやミスを防止する工夫が必要になります。

陥りがちな評価のミスとは次のようなものです。

◎ ハロー効果

被評価者のある項目が格段に優れていることが、他の項目の評価に影響を与えてしまうことで、「ポジティブハロー効果」と「ネガティブハロー効果」

があります。

ポジティブハロー効果とは、ある特定の項目についての評価が高いと、別の項目も高く評価してしまうケースです。一方のネガティブハロー効果は、逆にある特定の項目についての評価が高いと、別の項目を必要以上に低く評価してしまうケースです。例としては、「彼は責任感が強い。だから協調性も高い」「責任感についてはチーム内での最高点をつけた。だから協調性の評価を落とそう」などということが考えられます。

これを防ぐには、評価項目の意味と目的をきちんと理解するとともに、先入観を排除する必要があります。

◎ 寛大化傾向

自分の部下を実際よりも甘く評価してしまうことです。この要因は次のような点が考えられます。「義理・人情で評価してしまう」「他の部門のメンバーよりも高く評価してあげようとする」「管理職としての自分の評価に自信が持てない」「評価のための情報が少ない」などです。

これを防ぐには、客観的に評価するように努めること、他の部門よりも甘く評価することが必ずしも部下を幸福にしないことを知ること、期中に部下と接する機会を増やして情報を得ること、上司としての自信と自覚を持つことが必要でしょう。

また、寛大化傾向と全く逆の「厳格化傾向」というミスもあります。上記と全く逆の事象であると考えてください。

◎ 中心化傾向

可もなし不可もなしという気持ちで、すべてに「B」をつけるという傾向です。これは以下のような原因で生じます。「事なかれ主義」「評価に差をつける勇気がない」「被評価者に関する情報が少ない」などです。

これを防ぐには、部下の実績やキャリアを真剣に考えること、上司としての自覚を持って事なかれ主義から脱却すること、期中に部下と接する機会を増やし、情報を得ることが大切です。

◎ 対比誤差

評価者が自分を基準として過大評価や過小評価、または推測評価を行ってしまうことです。たとえば「自分は物事に臨機応変に対処しながら仕事を進めるのが得意だ。だが、部下Aは仕事のスタートが遅く柔軟性に欠ける。だから行動力と決断力を低くしよう」というものです。

この部下は、仕事を計画的に進めることに優れ、几帳面で綿密な行動プランをつくるのが得意かもしれません。したがって、「仕事のスタートが遅

く柔軟性に欠ける」ように思われることが、必ずしも行動力や決断力の問題に結びつくとは限りません。多くの場合、評価者が自己中心的に主観的な価値判断で評価を行うことに問題の原因があります。

これを防ぐには、評価者自身が、まず自分を謙虚かつ客観的に評価してみることが必要となります。

◎ 期末エラー

文字どおり、時間的に評価時に近い情報だけで通年の評価をしてしまうことです。たとえば、下半期に大型の契約を受注した部下の評価を、年間の実績を考慮せずにA評価としてしまうケースです。これは、日常業務の中での評価情報の欠如と、評価者自身の評価への無関心に起因しています。

これを防ぐには、上司として、部下を評価することの重要性を理解することや、年間を通じた部下の仕事のプロセスと結果に対してより多くの情報を得ることが必要となります。

(6) 評価の機軸を知る──業績面と行動面

近年は、業績面と行動面の二面での評価を実施する企業が一般的となっています。

業績面とは、営業であれば「年間売上げ1億円。計画に対して50パーセント上積み」、総務であれば「年間2000万円のコスト節約。計画に対して30パーセント増し」というように、仕事の具体的な成果を年間目標に照らし合わせて評価するものです。

行動面とは、顧客満足度向上に対する強いこだわり、改善へのあくなき挑戦など、被評価者の仕事ぶりやマインドを、会社が大切にする価値観や行動規範に照らし合わせて評価するものです。

一般的には業績面の評価を賞与の参考に、業績評価の推移と行動面の評価を昇格の参考にする会社が多く見受けられます。

(7) 評価後の人事戦略

業績面の評価と行動面の評価を、人事戦略上どのように生かしていくべきでしょうか。

まずは、この二つは全く別の要素から成り立っていることを理解しなくてはなりません。業績とは、1年間の結果であり、翌年も同じ業績が残せるかどう

評価後の人事戦略（例）　　　図35

```
高
   ❸                    ❶
   よく話し合う          より責任の大きな
   提案する              仕事を与える
   注意深く見守る

結果、業績

   ❹                    ❷
   対処方法を考える      教育する
                         チャンスを与える
                         チャレンジさせる
低
 低ーーーーーーーーーーーーーー高
        バリュー、行動の模範性
```

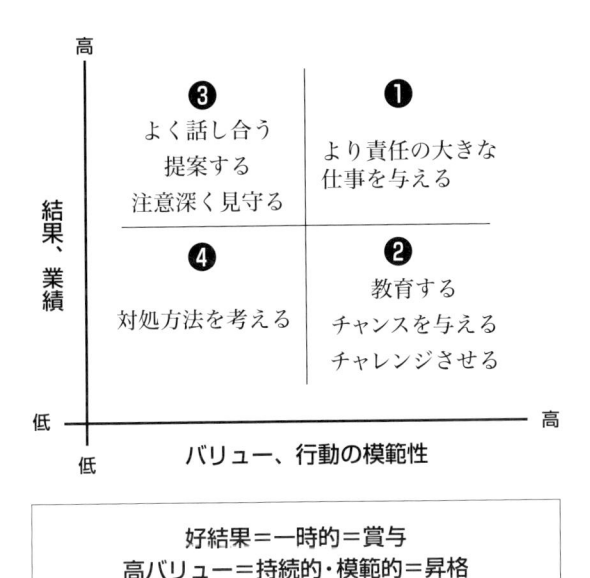

好結果＝一時的＝賞与
高バリュー＝持続的・模範的＝昇格

かは別問題です。一方、行動の模範性は持続的であり累積的です。

図35は、ある外資系メーカーの事例です。縦軸は業績で、横軸は行動の模範性をとり、マトリクスで表しています。

❶ 行動の模範性が高い人材が、高業績を上げた場合

より責任の大きな仕事を与える方向で考えます。つまり昇格を検討します。ただし、昨年までじり貧の業績であったのが、たまたま幸運が重なって今年だけ優秀な成績を収めたような場合は、もう少し様子を見るなどの工夫が必要です。

❷ 行動の模範性が高い人材であるが、業績が思わしくなかった場合

基本的にはワンチャンスを与えてから昇格の検討をすべきでしょう。しかし、この外資系企業では、この時点での昇格を検討する場合があります。業績よりも行動面を重視しているからです。この層の人事戦略については、各社の事情を考慮すべきでしょう。

❸ 行動の模範性が低い人材が、高業績を上げた場合

基本的には賞与等で高業績に報いますが、昇格はさせないケースが多いと言

えます。なぜなら、より大きな組織の管理者になるということは、それだけこの人物の影響を受ける人を増やすことを意味するからです。つまり、模範的な行動を取らない人材の影響を受ける部下が増えるということです。

しかしながら❷の層との比較で、どちらの人材を重要視するかは、それぞれの会社の事情や方針に配慮する必要があります。

❹ 行動の模範性が低い人材の業績が思わしくなかった場合

この外資系企業の場合は、翌年の対処方法を上司に具体的に考えさせます。もうワンチャンスを与えるのか、自部門の目標達成のために別の人材に交代させるべきかという選択です。ただし、不要＝即リストラという考え方は乱暴すぎます。本人の持ち味がたまたまこの部門とマッチしていないだけかもしれません。また、他部門への配置転換や本人の能力に応じた雇用形態に移行する等、雇用の確保の努力を惜しむべきではありません。いずれにしても、本人と上司と人事部門の三者による丁寧な合意形成を目指すべきです。

このマトリクスは一つの考え方を示したにすぎません。繰り返しになりますが、それぞれの会社の文化や経営環境、経営方針や人事理念などに照らし合わせた戦略を取ってください。

(8) 人事評価制度構築の6箇条

最後に、評価制度を見直す際のキーポイントを紹介して、この章を締めくくります。

❶ 経営戦略とのリンクが普遍的に取れること

たとえば、新規顧客を増やす戦略を掲げている場合、営業部門の評価としては、新規顧客を多く獲得した社員の評価を上げるべきです。ある年は、新規顧客ではなく売上金額を優先するかもしれません。要は、環境の変化と戦略の変更に柔軟に対応できる器にしておくべきです。一例として、目標管理シートと共通化する等の工夫が必要です。

❷ シンプルでわかりやすい制度にすること

社員の誰もが理解できるものにすべきです。人事担当者しか理解できないような制度では、さまざまな不満を誘発してしまいます。

❸ 職種別の基準（モノ差し）をつくること

　少なくとも、会社を構成する役職、たとえば主任、課長、部長の層別に基準を設定すべきです。また、ラインとスタッフで分けるのも効果的ですし、会社によっては、営業部門、管理部門、研究部門等で大別しているケースもあります。求められる成果や求められる行動の違いが自分たちに身近であればあるほど、社員が仕事をしやすくなるのは言うまでもありません。

❹ 期待能力基準とリンクさせること

　各役職層に求められる能力が、会社として明快に決められているのであれば、評価のモノ差しにも反映させるべきです。

❺ 人材開発（研修）制度と連動させること

　評価制度の究極的な目的は、社員の底上げを図り、経営目標を実現することにあります。評価時に、被評価者に求められる能力開発やスキル修得に関する上司からのアドバイスが加わると、評価制度と研修制度と目標管理制度の間に一本筋が通り、それぞれの運用効果が格段に高まります。

❻ 評価者研修を実施すること

　前項でも触れたとおり、評価制度を効果的に運用するためには、評価者研修等で、ルールや基準のズレを防ぐ訓練を実施する必要があります。ハロー効果等のさまざまな評価ミスについても、その発生要因と防止策を知る必要があります。

memo

第5章
リーダー社員のための仕事と人生の奥義

ビジネスパーソンとして生きるわれわれが仕事に費やす時間は、生涯の70パーセントを占めると言われます。そうであるなら、実りある人生を送るには、社会の中で生き生きと働くことが肝要と言えるでしょう。最終章では、自分が働く舞台としての企業の永続・発展のために大切にすべきこと、そして社会の公器としての企業のあり方等を考えていきます。

第5章のポイント

1. リーダーは不変と可変の両方を等しく大切にするバランス感覚を持とう
2. リーダーは歴史に根ざした大局観と長期的展望を持とう
3. モラルが高くなればモラールも高まる
4. 真の熱心さとは、思いやりや慈悲の心を伴ったものである
5. 組織全体で法令を遵守し、道徳的経営を心がけよう
6. すべての恩恵に感謝し、先人・先輩から受け継いだ精神を現代に生かそう
7. 仕事と人生を能動的に「楽しむ心」を持ってこそ、道はひらける
8. 人望という徳を磨き、ビジネスにおける永続的な幸福を目指そう

1 不変と可変

「経営理念」×「ビジネス・マインド」×「ビジネス・スキル」

　ビジネスは、確固たる「経営理念」（原理原則）をもととし、それを全社員が二つの能力を持って支えていくことによって成り立ちます。その能力の一つは「ビジネス・マインド」です。仕事に対する心構えや姿勢、考え方の基盤となるもので、事業を成功させ、持続・発展させるうえで必要な能力です。もう一つは「ビジネス・スキル」です。事業の目標達成や問題解決のための基本的な考え方やフレームワークとなるもので、ビジネスを論理的にとらえ、合理的かつ効率的に成功へと導く能力です。これら三つのかけ算（「経営理念」×「ビジネス・マインド」×「ビジネス・スキル」）によって、企業活動のエネルギーは生み出されるのです。

　ビジネス・マインドは地位や立場に応じて自分で経験し、積み上げていかなければなかなか身につかないものですが、ビジネス・スキルは知識や技術・技能などの習熟可能な仕事術であり、学べば一定のレベルまでは誰でも身につけることができます。社員一人ひとりが持つビジネス・マインドとビジネス・スキルを結集し、組織全体の力として確実に機能させていくには、組織の各部門におけるリーダー社員の存在が不可欠です。リーダー社員はメンバー間の情報共有の拠点としての役割を果たし、チームや各部門の部分最適と経営上の全体最適とのバランスを見ながら、企業を取り巻く環境の変化に対応していかなければなりません。

求道のプロセス

　ビジネスの世界では次から次へと新しい商品や製品、サービスが誕生しています。この世界で成功し、発展し続けるためには、時代に合わせて中身や方法を変えていく必要があります。しかし、変わってはならないものがあることも知っておかなければなりません。時代のうねりや変化の波に押し流されて、いつの間にかビジネスの本質を見失うことがあるからです。

　武道や芸事に伝わる求道のプロセスに「守・破・離」があります。先代や先輩から引き継いだものを踏襲する「守」、革新の手を加える「破」、独自のスタイルを確立する「離」という考え方です。これはビジネスの世界にも当てはまります。土台となる基本の「守」があってこそ、応用・発展が実現できるのです。

変化をつくり出すこと

　組織やチーム、あるいは自分自身の処遇や仕事の質・量の不安定要因となるような変化は、なるべく避けたいと考える人がいます。しかし、現状に安住してビジネス上の課題を先送りにすれば、いずれマンネリやワンパターンに陥るのが世の常です。100年以上続く老舗企業は、「現状維持は退歩なり」と、みずからを鼓舞しているからこそ長寿なのです。今日のような激動の時代においては、変化し続けてこそ安定を保つことができるとさえ言えるのです。なぜなら、変化は新たな価値や新たなエネルギーをもたらすからです。

　社の内外の情報や衆知を集め、問題や課題を発見するリーダー社員の洞察力こそ、企業の発展の原動力となります。現状に満足することなく、変化することをためらわず、むしろ変化をつくり出そうというリーダーの気概が求められています。創業の精神やビジネスの動機・目的を示す経営理念は不変であるべきですが、ビジネスの方法は時代にマッチさせて変えていかなければ、よい結果が得られません。市場における新たな価値の創造を目指して変化し続けなければ、他社のモノマネばかりで差別化ができず、いずれ市場から消えていかざるを得ないと心得ましょう。

可変と不変のバランス感覚

　「決して変えてはならないもの」と「状況に応じて変えなければならないもの」のバランスがとれた企業が、結果として生き残れるということです。つまり、世の中がどんなに変化しようとも、変わらずに受け継ぐべきものをしっかり見極めることのできる人材こそ、変革を主導するリーダーとなれるのです。真理

を守り、変えていくべきものは変える、不変と可変の両方を等しく大切にするバランス感覚を持ちましょう。

　廣池千九郎は不況が慢性化した大正11年（1922）に、次の言葉を残しています。

　「大勢には、善きものと悪しきものとあり。大勢に逆行するもの、または順応するものは滅ぶ。順応しつつ真理を守るもの残る」

memo

2　変革のための3つの目

ビジネス全体を見通す

　リーダー社員の持つべき能力は、

　①自分自身の仕事能力
　②人間関係をまとめ、人材を育てていく能力
　③ビジネス全体を見通して、マネジメントしていく能力

の三つに集約できます。どれも大切ですが、特にビジネス全体を見通してマネジメントしていくことは、リーダー社員に期待される大きな役割です。その役割を果たすために、リーダー社員は社内外で起きる出来事や環境の変化を、複眼的かつ立体的にとらえる三つの目を持つ必要があります。

　一つめは「虫の目」です。現場で起きるミスやトラブル、クレームなどを、近いところから注意深く見る目のことです。顧客や消費者、仕入れ先との接点に立つリーダー社員は、顧客や消費者の言動や日々のミクロの出来事から、ニーズやウォンツなどの本質的な変化もつかまなければなりません。

　二つめは「鳥の目」です。虫の目だけでは「木を見て森を見ず」になりかねません。高い視座、広い視野を持って全体を俯瞰する目が必要です。自社のビジネスを取り巻く多くのステークホルダー（利害関係者）を全体的かつ立体的に見ることにより、自社の置かれているポジションが把握できます。

　三つめは「魚の目」です。魚が潮の満ち引きや水の流れる方向、あるいは水の温度を敏感に感じ取るように、時代の傾向を察して世の中の流れを感じ取る目のことです。近年、地球環境や資源エネルギーの問題、商圏のグローバル化などは、企業の経営環境や社会的責任（CSR）を大きく左右するテーマになりました。企業が激流の中で永続・発展し続けるためには、時代の流れを見通して本物の実力を養う「魚の目」が不可欠です。

歴史に学んで身につく複眼思考

　変化の激しい現代社会においては、対症療法的思考や行動ではビジネス上の諸問題を解決できないことが少なくありません。世の中の流れや現象を部分的かつ全体的に見るためには、これら三つの目をあわせ持つことが必要です。

さらに、リーダーや指導者の条件として最も大事なのは、洞察力や構想力などに裏打ちされた先見性の有無だといわれています。現代のように、簡単に先を見通せない時代だからこそ大切にしたいのが、歴史に根ざした大局観と長期的展望です。歴史を学ぶことで、物事をより多面的・根本的・長期的に見る視点を身につけることができます。また、過去の人々の経験の中から現代に応用できるヒントやアイディアを見つけ出し、先人・先輩が築いた普遍的な理念や哲学を学ぶことができます。

　目の前の仕事に追われながら、日々多くの判断や意思決定を迫られるリーダー社員にとって、最も手薄になりがちなのが、歴史から学ぶ姿勢です。複眼思考（三つの目）をベースに、歴史という長い時間軸で長期的かつ根本的に物事を見つめる視点をビジネスに活かしましょう。

memo

3 モラルとモラールとモチベーション

モラルの向上が及ぼす好循環

　モラル（道徳）とモラール（志気＝仕事に対する高い意欲）は、どのような関係にあるのでしょうか。モラルとは、他の人を思いやるという心づかいと行いのことです。企業や社員が深く顧客を思いやれば、それだけサービスの質が高まり、顧客に満足や感動を与えます。そして、顧客の喜びの声が直接もしくは間接的にその社員に伝わると、それは精神的な報酬になり、モラールが高まるのです。

　そこには、①一人の社員のモラルが、②顧客の心に響き、③顧客の満足や喜びが引き出され、④それが社員への精神的な報酬となり、⑤もっとよい仕事をしようという高い意欲を生み、⑥共に働く仲間にもよい影響を与え、⑦チーム全体のモラールが高まり、⑧さらにモラルを実行していこうというモチベーション（動機づけ）が生まれます。すなわち「モラルが高くなれば、モラールもモチベーションも高まる」のです。

　こうした好循環は、ホウレンソウ（報告・連絡・相談）に代表されるコミュニケーションがなくては実現できないものですが、人間の知・情・意を統合した品性が働くことにより、企業は自律的に優れたイノベーションを生み出すことができるのです。

column

幸せな社員こそお客を幸せにする

　　全国のトヨタ系カーディーラーの中で顧客満足度トップクラスを維持するネッツトヨタ南国㈱の創業者　横田英毅相談役は、「CS（顧客満足度）高評価の背後には、地道なES（従業員満足度）向上の積み重ねがある」と述べています。

　　横田氏は、「幸せな社員たちがお客様を幸せにすることができる」という理念のもと、真の社員の幸せや満足を追求した結果、給料や休日、福利厚生などの表面的なニーズを満たすだけでは社員の幸せを実現できないことに気づいたと言います。そして、全社員を対象とするアンケートの結果から①お客様から喜ばれたい、②自分の成長を実感したいという本質的なウォンツを見いだします。

　　人は誰でも「誰かの役に立ちたい」という願望を持つものです。そして実際に誰かの役に立って、相手から認められ、喜びや感謝の声をもらうことによってこそ、自分が働く喜びを感じられるのです。米国の心理学者、マズローの欲求段階説で見れば「承認欲求」に当たります。これこそ、モラルとモラールの間に介在する「精神的報酬」であり、モチベーションの源泉に当たるものです。（参考：『道経塾』62号、モラロジー研究所）

4 熱心の弊

無理がもたらす弊害

「熱心さ」は、物事を成就させ、ビジネスを成功に導くために必要なものですが、思わぬ弊害をもたらすことがあります。

たとえば、熱心さという心の力（Mental power）に対して、肉体的な力（Physical energy）が必ずしも追いつくという保証はありません。一時的なモーレツ精神や行動によって、健康が損なわれることもあります。健康を顧みずに金儲けに奔走する人は、「大根おろし」にもたとえられます。大根をおろすように下を向いて「貯まった、貯まった（儲かった、儲かった）」と喜びながらも、実は自分の身をすり減らしているということになかなか気づかないのです。若いときはどんな無理でもできるように思いますが、無理を累積すると後に必ずその結果が出てくるものです。少々儲けたお金では、健康を取り戻せないこともあります。

お金とは、私たちが体を養うために必要だからこそ尊いのであり、大事な体をすり減らしてまで執着するのでは本末転倒です。自分の健康を維持管理することはすべての基本であると心得ましょう。

---

column

「ケチな飲み屋のサイン」とは

リーダーたる者は常に部下の心のありように注意を払い、健全であるかどうかを見定めて導いていかなければなりません。以下のサイン（状態）を参考に、部下の心の変化をチェックしてみてください。

ケ＝欠勤
チ＝遅刻・早退
ナ＝泣き言を言う
ノ＝能率の低下
ミ＝ミス・事故・トラブル
ヤ＝辞めたいと言う（仕事を）

自他が共に幸福になれる熱心さを

　また、物事に対して熱心に取り組んでいるときほど、「うまくいかないのは〇〇のせいだ」と他人を責めたり、「こうしてくれればよいのに」と他人に要求したりする心が働きやすいものです。一時的なモーレツ精神と行動によって他人と衝突しては、せっかく築いてきた信頼関係も損ないかねません。相手に求めず、自分中心の心を取り払って行動すれば、人と争うこともなく、自他が共に幸福になれるのです。リーダーの熱心さは大事ですが、思いやりや慈悲の心を伴っていなければなりません。

　ここで「熱心さの弊害」について触れたのは、決して自分の仕事や職務に対して熱心・勤勉であることを否定するためではありません。自他の人生を喜びに満ちたものとし、社会を発展させていくことを原点にした熱心・勤勉でなければならないことを述べているのです。

---

column

気づきにくい"我"

　どんなに澄んだ音色を出すピアノも、内側にある弦のバランスが崩れると、正しい音が出せなくなってきます。ピンと張ったピアノの弦には、この緊張を解こうとする作用から、徐々にゆるみが生じていきます。また、周囲の温度や湿度の変化なども影響するため、どれほど万全を期しても、やがて音が変わってしまうのだそうです。

　私たち人間の心もこれと似ています。熱心さや克己心は、私たちが目の前の困難を乗り越えて成長していくためには欠かせません。一方で、緊張と興奮にさらされ続けた心は、普段のゆとりや周囲との調和を失っていくことがあります。

　私たちは心のゆとりを失ったとき、自分ではその異状になかなか気づくことができません。そればかりか、周囲に不協和音が生じると、他人こそが原因と考えて犯人探しを始めがちです。そうすることによって、人間関係の不協和音はますます広がるのです。

　ピアノが調律によって正しい音のバランスを取り戻すように、私たちも日々乱れを生じる心の均衡（きんこう）を、意識して取り戻す必要があります。物理学者で名随筆家としても知られた寺田寅彦は、「調律師」と題する短文の中で、次のように記しています。

　「狂ったピアノのように狂っている世道人心を調律する偉大な調律師は現われてくれないものであろうか。（中略）調律師の職業の一つの特徴として、それが尊い職業であるゆえんは、その仕事の上に少しの『我』を持ち出さない事である。音と音とは元来調和すべき自然の方則をもっている、調律師はただそれが調和するところまで手をかして導くに過ぎない」

　私たちの人間関係の不協和音の原因、それは「おれが、私が」という"我"にあると言えます。私たちの日々の生活は、さまざまな人との関わり合いの中で成り立っています。たえず自己を省み、周囲の状況や心情を冷静に思いやる心を持ちたいものです。（『ニューモラル』498号、モラロジー研究所）

5 不正に対する心構えと行動

内部告発の是非

　次々と明るみに出る企業の不祥事の多くは、内部告発によるもののようです。内部告発とは、企業内の不正を知った従業員や関係者が、監督官庁やマスコミにその事実を伝えることを意味します。

　企業が利潤を追求する過程で無理をして、不正を犯していたとしても、多くの場合、その事実が組織外の人に知られることはありません。しかし、その不正が国家・社会に不利益をもたらしたり、消費者を生命の危険にさらしたりするなら、その事実を明らかにするのは、公共の福祉という観点から意味のあることでしょう。また、長期的に見れば、企業の側にとっても組織を立て直して信頼を取り戻すための有益な手段となり得るかもしれません。

　しかし、内部告発によって企業が存亡の危機に陥る場合もあります。「企業は公器であるから、情報公開は当然」という考え方もありますが、みだりに社外秘や他人のプライバシーを口外することは、日本人のメンタリティにはそぐわないようにも感じられます。一社員としては、恩義のある組織をおとしめるような事実を公表することはためらわれるというのも、無理からぬ心情でしょう。そこに、どうすべきか葛藤する「モラルジレンマ」が発生します。

公益通報者保護法と組織の自浄能力

　平成18年4月1日に施行された公益通報者保護法は、公益のために内部告発を行った人を、解雇等の不利益から保護するものです。ここで押さえておきたいことは、内部告発の動機が個人的な不満や恨みなどではなく、あくまで「公益」を目的としている場合に限って保護の対象になるという点と、「まずは組織の内部に問題を通報するべきだ」という考え方です。

　組織外部への通報を行う場合は、①内部通報では証拠隠滅のおそれがあること、②内部通報後20日以内に調査を行う旨の通知がないこと、③人の生命・身体への危害が発生する急迫した危険があること等、一定の要件を満たす必要があります。つまり、公益通報者保護法は、むやみやたらな内部告発を推奨するものではなく、組織の自浄能力に期待するという考え方に基づいているのです。

法律は最低限の道徳

　廣池千九郎は、他人の過失や不正を見聞きした場合に取るべき態度を「邪を破らずして誠意を移し植う」という格言で示しています。日常の人間関係においても、他人の小さな過失について必要以上に相手を非難すれば、相手の心を傷つけ、かえって反省の芽を摘んでしまうことがあります。また、相手の不正を正そうとする人の胸の内には、高慢心が潜んでいる場合があることにも注意しなければなりません。

　組織内の問題についても、単なる非難や攻撃、組織外への告発などによる性急な正し方は、極力避けるべきでしょう。いかなる場合も深い思いやりの心を忘れず、まず誠意を持って本人に忠告し、次に関係者に相談することです。内部告発は最後の手段にしなければなりません。また、組織としては、さまざまな立場からの意見や情報を把握するための仕組みをつくり、問題に対して迅速に対応できるようにすることです。

　法律は最低限の道徳ですから、何よりもまず、組織全体で法令を遵守することはもちろんのこと、道徳的経営を心がけ、不正は絶対に行わないという組織風土を地道かつ着実につくり上げていかなければならないことは、言うまでもありません。

---

column
「不正をしないこと」は企業倫理以前の問題

　不正は絶対に行わないということは、一人の社会人として当たり前のことです。ドラッカーも、これまで「企業倫理」として書物などで説かれてきたことは、実際には企業倫理以前の問題であるとして、次のように言っています。
　「企業人たるものはごまかしたり、盗んだり、嘘をついたり、贈賄したり、収賄したりしてはならないと厳かに言われる。しかしこれは、企業人のみならず、誰もがしてはならないことである。（中略）これは、企業ではなく、個人、家庭、学校の道徳観に関わる問題である」（『エッセンシャル版 マネジメント 基本と原則』上田惇生訳、ダイヤモンド社）

6 先人先輩の恩に感謝し、義務を進んで遂行する

自分の背景にあるもの

　会社とは、創業者とその志を受け継いできた歴代の経営者、そして、経営者を支え苦労を共にしてきた先輩社員の奮闘努力が結実したものです。目に見える財産ばかりでなく、伝承されてきた技術や知識、醸成・蓄積されてきた信用や信頼などが結集して、現在の社業を支えてくれています。また、自分の周囲を見渡しても、経営のトップをはじめ、上司・先輩・同僚・部下・他部署の人々に支えられて今の自分があり、協力、協働によって仕事が進められていることに気づくでしょう。

　もし今、会社という基盤がなくなったとすれば、個人の力だけで仕事を完遂することができるでしょうか。あるいは、これまでにこの会社で習得した技術や知識を失ったとしたら、どれだけの仕事を成し得るでしょうか。この会社の社員として新しい技術やノウハウを生み出し、絶大な業績を上げたとしても、それは会社という枠組みの中で、その蓄積を利用して生み出したものです。「自分の技術だ、ノウハウだ」と自身の奮闘努力を訴える人もいますが、業績というものは連綿と受け継がれていく社業の一端にすぎないのではないでしょうか。

　社外に目を向けると、自社は相互依存のネットワークの中に位置づけられ、さまざまな利害関係者（ステークホルダー）によって支えられていることに気づくでしょう。顧客・ユーザー・消費者はもちろん、仕入先、協力業者、資金提供者としての株主・金融機関などが日々の社業を陰で支えています。また、会社や工場、営業・生産拠点を置いている地域とそこに住む人々、そして国家によって生命・財産・文化の安全を保障され、法律・教育・福祉等の社会制度、生産や産業のインフラが整備されているおかげで、安心してビジネスやものづくりが行える環境を与えられています。このような利害関係者の支えなくして、どうして日々の社業が行えるでしょうか。現在、私たちが行っているビジネスやものづくりは、もちろん自身の努力によるものでもありますが、背景にはそれを支えてくれている大きな存在があるのです。

義務の先行が運命を拓く

　廣池千九郎は「伝統を祖述して義務を先行す」と述べています。ここで言う「伝統」とは、会社にとっては創業以来会社を支えてきた先人や先輩をはじめ、

現在の社業をさまざまな形で支えている多くの恩人のことであり、私たちはそこから受けた恩恵を自覚し、これを尊重しなければなりません。また、「祖述」とは、単に先人や先輩が残したものを形として守ることに固執するのではなく、その心と魂を継承して、さらに発展させるという意味です。

　私たちは日々の仕事を行ううえで、さまざまなインフラや基盤をすでに与えられており、多くの利害関係者からの恩恵を受け取っています。自分を支えてくれているすべての恩恵に感謝し、先人・先輩から受け継いだ心を現代に生かすべく、自分の力が及ぶ限り犠牲的努力を払ってその負託に応えてこそ、「義務を先行した」と言えるのではないでしょうか。これを累積すれば徳の貯蓄ができ、品性を向上させて運命を拓（ひら）くことができるのです。

column

人類共通の"恩人"とは

　モラロジーでは、多くの先人の中でも、とりわけ私たちの存在もしくは人生そのものを根底から支えている人類共通の恩人の系列を「伝統」と呼んでいます。
　ここには大きく分けて四種類の恩人の系列が存在します。まず、家族という共同体を通じていのちの存続と発展を支えてきた親・祖先が「家の伝統」です。次に、個々の家から範囲を広げ、民族や国民を結びつける国家という共同体の中心に存在するのが「国の伝統」です。さらに、人類の精神を道徳的に導いてきた恩人の系列としての「精神伝統」、そのほかにも学校・企業・地域社会などにおいて、私たちの日常生活や社会活動を支えてくれているさまざまな恩人（準伝統）が存在します。
　私たちは、このような多くの恩に支えられて初めて存在することができるのだという事実に気づき、その恩に感謝しつつ、生きていくことが大切です。そうした恩に報いようと努める中で、自ずと各人の生命力、精神力、創造力が伸ばされ、全体に配慮の行き届く温和で円満な人格（品性）が形成されていくのです。

恩人本位の経営で社員の心を立て直す

　昭和63年4月、アサヒビール創業100周年を機に、当時社長であった樋口廣太郎氏（1926〜2012）は、発祥の地、大阪・吹田の丘に「先人の碑」という供養塔を建立しました。供養塔は二本あり、一本は明治以来の先輩社員を、もう一本は得意先や仕入先、関連業者などのステークホルダーを祀っています。これらの物故者の命日（ほぼ毎日）には、物故者の数に合わせて献花がなされ、祈りを捧げるだけでなく、遺族に宛てて封書で近況報告を行っています。また、本社の社長室には供養塔のミニチュアが置かれ、毎朝社長と会長が拝礼すると言います。業績の低迷により"夕日（ゆうひ）ビール"と揶揄（やゆ）され、社員一人ひとりの心が冷え込んでいく中、同社ではこのような恩人本位の経営を原動力として、トップシェアの商品を生み出し、業績回復と会社再建を成し遂げていったのです。

7 仕事も人生も楽しむ心をもつ

試練は成長の糧

　仕事もプライベートもどちらも充実させたいと思うのは自然な欲求です。しかし、人生とは順風満帆（じゅんぷうまんぱん）のときばかりが続くものではありません。壁にぶつかったり、思いどおりにいかなかったり、望んでいないことが身に降りかかったりという試練がしばしば訪れるものです。

　苦しみや悩みは、その人に乗り越える力があるからこそ天が与えるものであるとも言われます。ですから、そのようなときには逃げることなく前向きに受け止め、自分に足りないところを補いながら、根気よく努力を積み重ねることです。

　そして決定的に大事なことは、仕事も人生も楽しむという心を持つことです。好きではない仕事だからと悲壮感を漂わせて嫌々（いやいや）やっていれば、周囲の人も心から協力しようという気にはならないでしょう。世の中で成功した人は、「試練や逆境に遭遇して問題解決に努力しているときにこそ、充実感を味わうことができた」「あの試練が自分を成長させてくれたのだ」と振り返っています。

「楽しむ心」で苦境を乗り越えよう

　「楽しい仕事」や「楽しい人生」を受け身で待つのではなく、能動的に仕事と人生を「楽しむ心」を持ってこそ、道はひらけると心得ましょう。たとえどんなに苦しいときでも、その境遇を乗り越える原動力になってくれるのが「楽しむ心」なのです。試練や逆境も自分を磨く天与の機会と受け止めて、前向きな生き方をしたいものです。

〈人生を楽しむ10の心得〉

(1) 寛い心を持つこと　　　　　　　（度量）
(2) 深い情をかけること　　　　　　（慈悲）
(3) みんな仲よくすること　　　　　（平和）
(4) 喜ぶ心を持つこと　　　　　　　（感謝）
(5) 色は匂えど散るもの　　　　　　（無常）
(6) 向こう三軒両隣が大切　　　　　（親睦）
(7) 長い眼で見ること　　　　　　　（忍耐）
(8) 柳に雪折れなし　　　　　　　　（柔和）
(9) 越されぬ河は越えぬこと　　　　（諦観）
(10) 時の過ぎぬ間に働くこと　　　　（努力）

column

「個性を尊重すれども団体を軽んぜず」
「秩序を確守して自由を尊重す」

　私たちは、ともすると自分の目先の利益だけに執着し、また個人を尊重するあまり団体の発展を忘れることがあります。一方、団体の秩序と発展だけが優先され、個人が軽視されたり、犠牲を強いられたりする場合もあります。これでは個人の目的と団体や組織の目的が対立し、結局、両者がともにその目的を十分に達成することはできません。

　どのような社会や集団にも、その秩序を維持するために、法律や規則をはじめ、社会習慣や公衆道徳などが存在します。たとえば、企業においても社是、社訓とか、経営の基本方針、あるいは就業規則などがあることでしょう。そこに所属する人々がそれに従い、守ることによって、企業という集団の秩序は維持されています。また、それぞれが個性を十分に発揮しながらも、全員が組織人として与えられた任務、役割を責任をもって果たすことにより、全体の秩序と調和が保たれています。そうした秩序の中でこそ、個人の安定した生活や自由が保障されるのです。

8 ビジネスの一時的成功と永続的な幸福は違う

天の時・地の利・人の和

「天の時・地の利・人の和」の三つの条件がそろわなければ、大きな仕事は成就（じょうじゅ）しないと言われます。

古来、「天の時は地の利に如かず、地の利は人の和に如かず」という格言が伝わっています。天の時とは時機、すなわちタイミングを指し、地の利とは地勢の有利さなどの場所や場合を指します。つまり、この格言はタイミングがよくても地の利がよくなければ成功せず、商機や地理的条件にどんなに恵まれていても人心が一致しなければ成功しないという戒めです。平素から学力・知力や技術を磨いてビジネスのタイミングを察しながら場所や場合を計り、思いやりの心をもって周囲の人との調和に努力してこそ、ビジネスを成功に導くことができるのです。

ビジネスに TPO（時と場所と場合、Time, Place, Occasion）が必要であることは言うまでもありませんが、人心の一致は最も重視しなければなりません。社員個人がいかに優れていても、それらが結合して同じ方向に向かわなければ、大きな力にはなりません。会社の内部を固めてから外へ向かって打って出よ、ということです。たとえ外部環境が好ましい状況でなくても、内部の心を一つにすれば成就することもあります。「天の時・地の利・人の和」の三つをそろえ、途中に困難があっても最後には必勝としたいものです。

和して同ぜずのぶれない軸

道徳的な人は、どのような集団内にあっても周囲の人々と調和するように努力するものです。しかし、「君子は和して同ぜず、小人は同じて和せず」と言われるように、リーダーの地位にある人（君子）は、周囲の人との和を重んじて争いは避けながらも、自分としての意見をしっかり持ってむやみに他人の考えに流されることなく、道理に外れたことには反対する勇気を持つべきです。有力な意見にはすぐに同調するが、全体の調和に心を配れない人は小人（つまらない人）と言わなければなりません。

周囲と同じ考えや行動であるというだけで安心してしまったり、相手の考えを理解しようともせず、異論ばかりを唱える「和せず同ぜず」のひねくれ者では、リーダーは務まりません。自分の心の中に道徳的標準というぶれない軸を持ち、

周囲の泥水や塵芥(ちりやゴミ)に心を汚されることなく、公平を尊び、互いの価値観を尊重しつつ、円満を期して進むようにしたいものです。

社会に認められる人望

　世の中には学問的知識や技術、芸術や発明など、ビジネスの才能を持つ人がたくさんいます。しかしながら、生涯を通して懸命に努力したわりには、苦労が多いばかりで成功しない人もいます。学問・技術・芸術・発明などの才能があってビジネスを起業しても、ビジネスの結果を社会に認められるだけの人望がなければ、応分の社会的地位や富を得ることはできません。

　知識や技術などの才能があっても人望がなければ、先輩や友人など周囲の人に引き立てられることがなく、成功のチャンスに恵まれず、不遇に終わってしまうこともあります。また、一時の成功を得た後もその地位や名誉や財産を維持していくためには、やはり人望が必要になるのです。

　人望という徳を涵養するためには、心を低くして利己心を取り除き、慈悲の心と恩人に対する感謝・報恩を忘れることなく、また、そうした心を周囲の人の心にも移し植えるように努力する姿勢が大切です。その徳が身についた暁には、学力や知力・技術が世の人々に用いられるようになり、やがて社会的地位や名誉、財産や利益を得ることができるでしょう。人望のある人は、有力者に依頼しなくても、自然と社会から必要とされるものです。知識や技術などの才能と人望の両者を培うことは、政治や経済などを含めたあらゆる場面で成功をもたらすでしょう。

一時的成功より永続的な幸福へ

　創業して間もないころは顧客満足に徹し、本業を通じた社会貢献をひたすらビジネスの動機目的としていても、金儲けや利益を追求し始めた途端に問題が噴出し、客離れが起きて経営がおかしくなってきたというのは、よくあることです。また、一社員としてのビジネスの成功は必ずしも幸福な人生の幸せにつながっていなかった、と気づかされることもあります。

　私たちは、ややもすると品性の大切さを忘れ、学力、知力、金力、権力などを獲得しさえすれば、幸福になれるものと考えがちです。そして、そのような力を獲得して成功を手にするために、政治経済上はもちろん、あらゆる方面で厳しい競争を行っています。確かに学力、知力、金力、権力などは人間生活のうえで必要な要素ではありますが、これらの諸力を正しく生かす品性が伴わなければ、一時的な成功は得られても、永続的な幸福を生み出すことはできません。

人生とは、物質的生活と精神的生活の両面で成り立っています。物質的生活の原理とは経済であり、精神的生活の原理とは道徳です。人は生きているかぎり、経済とも道徳とも無縁ではいられません。

廣池千九郎は、「道徳を含まざる人間の力の結果はときに強大なるも、その持続の時間短くして且つ単に一部分的成功にすぎず、道徳実行の結果はたとい一時は弱小なるも永久性・末弘性及び審美性を有して最後の幸福を生む」（新版『道徳科学の論文』⑨134ページ）として、真の幸福は道徳実行以外の方法では得られないことを教えています。

ビジネスは「公」を意識して末広がりに

企業にとっての利益とは、あくまでも社会に認められて顧客からの喜び料をいただいた結果です。利益が増大したときは、もっと社会貢献せよという世の声を受けた結果であると、謙虚に耳を傾けたいものです。ビジネスの目的は金儲けではなく、人間を幸福に導く手段でなくてはなりません。ビジネス本位ではなく人間本位に考えて、人間の生存・発達・安心・平和・幸福のために事業をさせていただくという心になることが、企業の永続と発展につながるのです。

企業は、私的な利益や利潤を確保するばかりでなく、社会国家、つまり公益に資するビジネスを継続していく必要があります。公益とは、今生きている私たちだけではなく、次代を担う私たちの子孫の経済的・精神的な豊かさを視野に入れたものでなくてはなりません。企業の経営や社員の行動基準などを、すべて詳細に法律で規定することは不可能です。だからこそ、企業の経営者と社員は道徳性を尊重しなければならないのです。

社会国家にとっての公益と個別企業の利益とのバランスを保ち、次世代に対しても責任を果たした経済活動を実現する方法は、道徳と経済を一体のものとして企業経営を行っていく以外にありません。利益も成長もビジネスの目的そのものではなく、ビジネスは善きものを創造し、よりよい世の中にしていくための手段なのです。利益の急拡大や規模の急成長を目指すのではなく、昨年より今年、今年より来年と年輪を重ねるように少しずつ成長し、累代で永続と発展を目指す経営こそが、ビジネスを取り巻くすべての人々を幸せにすることができるのです。仕事を進めるうえでも人生を全うするうえでも、常に「三方よし」の心で「公」に配慮して、太く短くでもなく、細く長くでもなく、末広がりに進んでいきたいものです。

巻末資料

モラロジーとは

モラロジー（Moralogy＝道徳科学）は、「道徳」を表す「モラル（moral）」と「学」を表す「ロジー（logy）」からなる学問名です。日本はもとより世界の倫理道徳の研究をはじめ、人間、社会、自然のあらゆる領域を考察し、人間がよりよく生きるための指針を探求し提示することを目的とした総合人間学です。

公益財団法人モラロジー道徳教育財団

「道徳で人と社会を幸せに」を指針に、倫理道徳の研究と「心の生涯学習」を推進する研究教育団体です。大正15年（1926）に法学博士・廣池千九郎によって創立され、以来、一貫して人間性・道徳性を育てる研究事業、教育事業、出版事業を展開しています。

創立者・法学博士　廣池千九郎（1866～1938）

大分県中津市生まれ。苦学の末に教師となり、修身（道徳）の教科書の編纂や夜間学校を設立するなど、地域の教育改善に取り組む。その後、歴史学者として数々の論文・書物を著し、法学を学んで早稲田大学講師、神宮皇學館教授を歴任。また、当時の国家的事業である『古事類苑』の編纂に携わるとともに、「東洋法制史」という新しい学問分野を開拓・研究し、独学で法学博士号を取得。大正15年（1926）、人類普遍の道徳原理を世に問う『道徳科学の論文』を著し、「モラロジー（道徳科学）」を提唱。昭和10年（1935）、モラロジーに基づいて社会教育と学校教育を行う道徳科学専攻塾を千葉県柏市に開設する。今日の公益財団法人モラロジー道徳教育財団ならびに学校法人廣池学園（麗澤大学、麗澤中学・高等学校、麗澤瑞浪中学・高等学校、麗澤幼稚園）の基礎を築いた。

企業永続のための
リーダー社員の人間力
心とビジネス・スキルを鍛える心得帖

平成23年6月　1日　初版第1刷発行
令和　3年6月21日　第2版第1刷発行

編集・発行	公益財団法人モラロジー道徳教育財団
	〒277-8654 千葉県柏市光ヶ丘 2-1-1
	TEL. 04-7173-3155（出版部）
	https://www.moralogy.jp
発　　売	学校法人 廣池学園事業部
	〒277-8686　千葉県柏市光ヶ丘 2-1-1
	TEL. 04-7173-3158
印　　刷	横山印刷 株式会社
制作協力	株式会社ピニオン

ⒸThe Moralogy Foundation 2011, Printed in Japan
ISBN978-4-89639-274-6
本書の無断複写および転写はお断りします。
落丁・乱丁本はお取り替えいたします。

令和3年4月、法人名称の変更に伴い、編集・発行を「モラロジー研究所」から「モラロジー道徳教育財団」に改めました。